シャーロック・

続ホームズの
大追跡

SHERLOCK
HOLMES

ライ・ホー 作

ユー・ユエンウォン イラスト

三浦裕子 訳

コナン・ドイル キャラクター原案

小学館

シャーロック・ホームズ ②

JN116212

大偵探福爾摩斯 - 逃獄大追捕II
（THE GREAT DETECTIVE SHERLOCK HOLMES: The Greatest Jail-breaker II）
Copyright © 2015 Rightman Publishing Limited / Lui Hok Cheung
First published in Hong Kong in 2015 by Rightman Publishing Limited
Japanese rights in Japan arranged with Rightman Publishing Limited
through International Buyers Agent Ltd.

この『続 シャーロック・ホームズの大追跡』は、コナン・ドイルが書いた"名探偵シャーロック・ホームズ"の設定を参考にして書かれた、オリジナル作品です。

本文の中にある、かざりがついている言葉は、本文の下（らん外）にその意味が書いてあるよ。お話といっしょに、読んでみてね！

（意味は主に、小学館『例解学習国語辞典 第十一版』を参考にしています）

らん外──本や新聞の紙面の囲いの外。余白の部分。この本では、ここに言葉の意味が書いてあるよ。

目次

登場人物紹介 …………………………… 4

1 スカーフェイスとマック ……… 7

2 「鉄ぺき」大ばく発 ………… 21

3 花火大会 ………………… 32

4 ばく発現場 ………………… 44

5 白い粉のふくろ …………… 56

6 さらわれたむすめ ………… 70

7 人質の交かん …………… 84

8 かくれがはどこ？ ………… 99

9 クリーム色の花 …………… 111

10 花火の夜 ………………… 124

科学小知識 ……………… 68、143

ホームズのミニ科学実験 ………………… 144

おまけまんが ……………………… 146

登場人物紹介

シャーロック・ホームズ

　ロンドンでもっとも有名な私立探てい。ベイカー街221Bに住んでいる。

　身体能力が高く、武術の心得がある。パンチ力は120キロとのうわさもある。

　頭脳明せきで知識が豊富、すぐれた分せき力を持ち、散らかった犯罪現場から事件の経過を読み取ることができる。警察が見落とした小さな手がかりを見つけることもよくある。

　音楽と読書を愛し、バイオリンのうではプロ級。

　眼光するどく、射げきのうで前は神わざ級。視力と観察力にすぐれ、相手のすばやい動きを予測して、こうげきをよけることができる。

　足が速く、100メートルを11秒で走れる。すばらしいジャンプ力でへいを簡単に乗りこえることもできる。

ワトソン

医者。ホームズが事件を解決する時の良きパートナー。善良な人がらで、喜んで他人を助ける。ホームズとともにベイカー街221Bに住んでいる。

アリス ホームズとワトソンが住む家の大家さんのめい。口がたっしゃで、ホームズを言い負かしてしまうことがある。

バニー 「ベイカー街少年探てい団」のリーダー。街ですりをはたらいていた時にホームズと出会い、使い走りをするようになる。おせっかいな性格。

ゴリストレード&フォックソン

スコットランドヤード（ロンドン警視庁の別名）の警部。目立ちたがり屋だが、そう査能力は高くなく、いつもホームズに助けを求める、でこぼこコンビ。

マック

かつては有名なさぎ師で、「鉄ぺき」かんごくに収容されていた。かんごくを出た後は、人生を真面目にやり直そうとしている。

ケイティ マックのむすめ。子供のころはマックの友人の家で育てられた。1年前に結こんした。

スカーフェイス 「鉄ぺき」かんごくに収容されているきょう悪な殺人犯。

ヤセザル 「鉄ぺき」かんごくの看守。

シャーロック
SHERLOCK
HOLMES
ホームズ

1 スカーフェイスとマック

　ロンドンから遠くはなれた山奥にある、「鉄ぺき」と呼ばれる かんごく 。
　その運動場で、10人のしゅう人たちがふたつのチームに分かれ、バスケットボールをしていた。コートの両側には見物のしゅう人たちが集まり、自分の ✦ひいき✦ のチームに盛んに応えんの声を送っていた。

　顔にひとすじの傷あとのある大男が、味方がパスしてきたボールを両手で受け、軽くジャンプしてシュートを打った。

　かんごく──けい務所のむかしの呼び名。ろう屋。
　ひいき──特に力を入れて応援すること。気に入ってかわいがること。

「**シュッ!**」という **小気味よい** 音を立てて、ボールは数メートルはなれたバスケットゴールに入った。

「わあ! ボス、さすがです!」

「まさに神シューター!」

「ほとんど百発百中!」

「もうボスのチームが勝ったも同然だ!」

大男を応えんするしゅう人たちは、**興奮** して手や足をふり回し、大男に **かっさい** を送った。

大男のあだ名は**スカーフェイス**。しゅう人たちのボス的

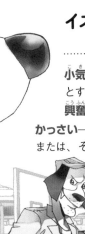

....

小気味よい——あざやかで、胸がすうっとするほど気持ちがよい。
興奮——感情が高ぶること。
かっさい——大ぜいの人が、どっとほめること。または、その声。

存在だった。きょう悪犯罪をくり返し、何度もかんごくに入れられていたが、しまいには殺人を犯して終身けいとなった。そしてこの「鉄ぺき」に  収容 され、もう15年以上になっていた。

「ボス！　パスです！」味方がまた、スカーフェイスにボールを送った。かれは受け取ると、その場で軽くドリブルした後、ゴールに向かっていきなりとっ進した。

　相手チームのひとりがかれの 行く手 をさえぎろうとすると、スカーフェイスはその大きな手のひらで相手の顔を張りたおした！

....

収容——人や物を引き取って、ある場所に収め入れること。
行く手——進んでいく方向。

「うわあっ!」

　悲鳴が聞こえた時には、顔を張りたおされた選手は、もう地面にたおれていた。

　これは明らかに 反則 だ。だが、だれも何も言わなかった。選手たちも、応えんしているしゅう人たちも、みんなよくわかっていた。もしここで何か言おうものなら、試合が終わった後、スカーフェイスにひどく痛めつけられることになるのだ。

　運動場でしゅう人たちを見張っている看守ですら、見て見ぬふりをしてだまっていた。どうやらスカーフェイスが試合でこんな反則をすることに、看守も慣れっこになっているようで、大きなさわぎにさえならなければ、スカーフェイスの好きにさせておけばいいと思っているようだった。

　相手選手を張りたおしたスカーフェイスは、何事もなかったようにドリブルをし、また1本シュートを決めた。

「また入った!　ボスは向かうところ敵なしですよ!」

　コートのわきからまたかん声が上がった。だが、試合をみているしゅう人の中にはだまりこんだままの者たちもいた。

....

反則──規則などにそむくこと。特に、スポーツでルールをやぶること。

10

かれらはスカーフェイスの<ruby>横暴<rt>おうぼう</rt></ruby>に不満があるものの、<ruby>口<rt>くち</rt></ruby>に<ruby>出<rt>だ</rt></ruby>す<ruby>勇気<rt>ゆうき</rt></ruby>はないようだった。

「ボス！　ダンクシュートを<ruby>見<rt>み</rt></ruby>せてくださいよ！」スカーフェイスの<ruby>手下<rt>てした</rt></ruby>のひとりがさけんだ。「ボスのカッコいいダンクを<ruby>見<rt>み</rt></ruby>たいです！」

「ダンク！　ダンク！　ボスのダンクは<ruby>最高<rt>さいこう</rt></ruby>！」<ruby>手下<rt>てした</rt></ruby>たちがそろって<ruby>声<rt>せい</rt></ruby>えんを<ruby>送<rt>おく</rt></ruby>った。それを<ruby>聞<rt>き</rt></ruby>いてスカーフェイスは<ruby>満足<rt>まんぞく</rt></ruby>そうな<ruby>笑<rt>え</rt></ruby>みをうかべた。

....

<ruby>横暴<rt>おうぼう</rt></ruby>──わがままで<ruby>乱暴<rt>らんぼう</rt></ruby>なこと。

　かれのチームの選手が相手チームの持っていたボールをカットし、スカーフェイスにパスしてきた。明らかに、スカーフェイスの見せ場を作ろうとしたのだ。もうだれも、この勢いを止めようとする者はいなかった。

　スカーフェイスはパスを受け取ると、とつぜんおたけびを上げ、あばれ牛のようにゴールに向けてドリブルし始めた。ゴール下を守っていた相手チームの選手たちもすっかりおそれをなし、つい体をよけてしまった。じゃま者がいなくなった今、スカーフェイスはボールを手にゆうゆうと最後の2歩をふみこみ、ボールを高く差し上げて、ダンクシュートを決めようとした──。

　するととつぜん、どこからかひらりと現れた黒いかげが、スカーフェイスめがけて飛んでいき、体当たりを食らわせた。

見せ場──芝居などで、特に見せる値打ちのある場面。また、いっぱんに、ぜひ人に見せたいところ。
おたけび──男らしく勇ましいさけび声。
体当たり──自分の体でぶつかっていくこと。

「ドン！」という音がひびくとともに、スカーフェイスはバランスを失い、ゴールとは反対側のほうにつき飛ばされた。かれがシュートしようとしたボールもねらいを外れ、「ガコン！」と音を立ててバスケットのリングにはじかれて、あらぬ方向へ飛んでいった。

　スカーフェイスは不意打ちのこうげきを食らって、しっかりと着地できず、よろよろと数歩よろめいた。ところが、スカーフェイスの足元が安定するかしないかのうちに、先ほどの黒いかげが再びつっこんできて、今度はかれの顔を正面からぶんなぐった。

不意打ち──とつぜんおそいかかること。

14

「うがぁ!」スカーフェイスの口から悲鳴がもれた。

選手も観客も、目の前の光景にあっけにとられていた。先ほどまでかん声がひびいていたコートは、とつぜん、**水を打ったよう**に静まり返った。

スカーフェイスのきょ大な体が、地面の上に**あおむけ**にのびていた。

かれは頭を左右にゆらゆらと動かした。まだくらくらしているようだ。その後、なぐられた口元に手をやって、血が出ているのに気がついた。口の中の血をペッと手のひらにはき出すと、折れた歯が2本、血といっしょにはき出された。さっきなぐられた時に折れたのだった。

手のひらにある血と歯を見て、スカーフェイスは急に**我に返った**。かれはいかりに燃えて体を起こすと、自分をおそったあの黒いかげの正体を探してきょろきょろした。そしてその正体が、ふだんは自分にへつらっているしゅう人のひとりだと知って、おどろきの声を上げた。

「マック!　おれをなぐったのはおまえか!?」

スカーフェイスは、まったく信じられないという口調で聞いた。

....

水を打ったよう——多くの人の集まった場所がしんとして、静かな様子。
あおむけ——胸や腹を上に向けること。
我に返る——ぼんやりしていたのが、はっと気がつく。

マックと呼ばれたそのしゅう人は、大男のスカーフェイスを正面から見すえて👁、冷静に言った。

「おまえがふだん、好きにいばり散らしているのはかまわない。だが、試合中に、私のチームの仲間に暴力をふるうのをだまって見ているわけにはいかない。お返しに、私がおまえに一発 **お見まい** するのは、**公平**ってもんだろう?」

　「なんだと⁉」スカーフェイスはいかりくるった。「**長生きしたくないようだな!**」そう言いながら、かれはマックにとびかかっていった。

　「パァン!」

　この時、とつぜん **じゅう声** がひびき、スカーフェイスもおどろいて動きを止めた。ふり返ると、何人もの看守が、ライフルをこちらに向けてかまえているのが見えた。ひとりの太っちょが、手にしたじゅうを空に向けていたが、そのじゅう口か

見すえる──じっと見つめる。また、本質などをとらえようとして、よく見る。
お見まい──相手にこうげきを加えること。
公平──一方にかたよらないで公正な様子。
じゅう声──鉄ぽうやピストルをうつ音。

らはうすくけむりが立ち上っていた。太っちょとは、このかん

ごくの所長、**ポーリー**だ。かれはずっと試合をかん視

していて、さわぎが起きたのを見て飛び出してきたのだ。

「所長！　こいつがおれをなぐったんだ！」

　スカーフェイスがさけんだ。

「だまれ！　おまえたちふたりとも、手を後ろに回して

うつぶせになれ！」ポーリー所長は厳しい声で命令

かん視——気をつけて見守ること。見張り。

うつぶせ——下向きにふせること。

した。「でないと、私のじゅうがだまっ
ていないぞ！」

マックはおとなしく地面にうつぶせ
になった。

だがこの時、かれの顔にはなぜか
うっすらと笑みがうかんでいた。

スカーフェイスはポーリー所長
に対してもいかりをばく発させる
寸前だったが、じゅうの前では、
命令に従うしかなかった。うつぶせになる前、スカーフェイス
は血走った目でマックをじっとにらみつけた。

スカーフェイスのことをよく知っているしゅう人たちは、その
目を見てふるえ上がりながら思った。あれは血にうえた
目だ。スカーフェイスはやられたら絶対にやり返す男。マック
はもう終わりだ。

「マックを独ぼうにぶちこんで
おけ！」所長は高らかに宣告し
た。「かんごくのちつ序
を乱したばつで、禁固1か月だ！」

血走る──目に血が集まって赤くなる。
うえる──足りなくて、しきりに欲しがる。
ちつ序──物ごとの正しい順序。決まり。

　2日後、スカーフェイスをふくむしゅう人たちは、看守のかん視のもと、運動場で日光浴をしていた。

　ひとりのしゅう人が、こっそりとスカーフェイスのもとへ寄ってきて、小さな声で伝えた。

「ボス、マックが**だつごく**したそうですよ」

「なんだと!?」

　スカーフェイスはおどろいた。

「看守たちの話を**ぬすみ聞き**したんです」

「うむ……」スカーフェイスは少し考えた後、何かにはっと気がついたようにつぶやいた。「……そういうことか！　あいつがおれをおそった本当の目的は、独ぼうに入って、だつごくするためだったんだ。なんてやつだ。おれを出しぬいて、おれのだつごく計画をつぶしやがった！」

　「ボス、見てください」しゅう人は、目で運動場の向こうのほうを示した。

………………………………

だつごく──しゅう人がけい務所からにげ出すこと。

ぬすみ聞き──ほかの人の話をこっそり聞くこと。

「所長といっしょにいるやつらが、スコットランドヤードから来た警察ですよ。だつごくしたマックを探すために来たんでしょう」

「くそっ! あのさぎ師、おれ様の裏をかくとはいい度胸だ」

スカーフェイスははらわたがにえくり返る思いで歯ぎしりした。

「おれは必ずここからだつごくして、あいつに落とし前を付けさせてやるぞ」

裏をかく──相手が思っていないことをやる。出しぬく。
度胸──物ごとにおそれない心。
はらわたがにえくり返る──腹が立って、いかりをこらえることができない。

※マックのだつごくについては、前巻『シャーロック・ホームズの大追跡』を見てね!

2 「鉄ぺき」大ばく発

　マックがだつごくしてから1年がたった。スカーフェイス
は、いまだに「鉄ぺき」かんごくの中で、けいに服してい
た。かれのだつごく計画はまったく進んでおらず、マックに
復しゅうできる見通しもたっていないように見
えた。

　この1週間ほど、スカーフェイスはほかの何人かのしゅう人
といっしょに、食堂の中の改装工事をしており、工事は
あと少しで終わるところまで来ていた。

　「ヤセザル君、しゅう人たちの仕事ぶりはどうかね?」所長の
ポーリーが、ライフルを持ったふたりの警備員をともなって
やってきて、食堂の入り口で改装工事のかんとくをしているヤ
セザル看守に声をかけた。この1年の間に、ポーリー所長
は鼻の下に、えらそうなチョビひげをはやすようになっていた。

　「はい、所長。かれらは毎日10時間ずつ働いています。食
事と、一日3回のトイレ休けい以外はずっと食堂の中で作業

復しゅう——ひどいことをされた相手にやり返すこと。仕返し。かたきうち。
改装——外側の様子や設備をかえること。模様がえ。

21

をしていて、仕事を サボる チャンスはまったくありません」ヤセザル看守が答えた。

「あとどのくらいで完成するかね?」

ポーリー所長が満足そうにたずねた。

「主な 補修 作業はもう終わりました。今日からかべに 石灰 をぬる作業に入ります。ぬり終わったら1日、2日かけてしっかりかわかし、その上にさらにペンキをぬります。たぶん、あと1週間くらいで終わるでしょう」

「よろしい。中の様子を少し見てみよう」

「わかりました」ヤセザル看守はポケットからかぎを取り出し、食堂の出入り口にある鉄のとびらを開けた。

食堂の中には、スカーフェイスと、ほかに6人のしゅう人がいた。それぞれ こて を手に、かべに石灰をぬっているところだった。鉄のとびらが開く音が聞こえると、かれら

サボる——なまける。ずる休みする。
補修——だめになった部分を補い直すこと。
石灰——消石灰。生石灰に水をまぜたもの。モルタルの原料。地面に白い線を引くのにも使う。水酸化カルシウム。
こて——かべ土やセメントなどをぬりつけるのに使う道具。

22

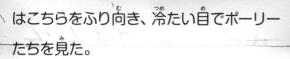

はこちらをふり向き、冷たい目でポーリーたちを見た。

「何を見ている！ サボるんじゃない！」ヤセザル看守は声を張り上げた。「所長が工事の進み具合を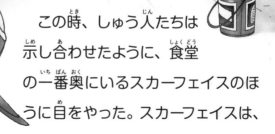視察する。おまえたちは仕事を続けろ！」

この時、しゅう人たちは示し合わせたように、食堂の一番奥にいるスカーフェイスのほうに目をやった。スカーフェイスは、

視察——実際にその場所へ行ってみて、様子を調べること。

無表情でしばらくヤセザル看守を見つめた後、だまって小さくうなずいた。それを合図に、ほかのしゅう人たちはそれぞれの仕事にもどっていった。

「おまえたちは出入り口のところで見張れ」ポーリー所長はふたりの警備員に言いつけた。「私は中に入って全体を視察する」
「はい!」ふたりの警備員はすぐさま出入り口の右と左に分かれて立ち、手にしたライフルをしっかりとにぎったまま、しゅう人たちの動きを注意深くかん視し始めた。

「所長、どうぞごゆっくりごらんください」その後、ヤセザル看守は少し言い出しにくそうにこう言った。「あのー、ちょっとトイレに行ってきてもいいでしょうか？　朝からおなかの具合がおかしくて……」

「行きたまえ」ポーリー所長は手をふって言った。「なるべく早くもどるように。私も　長居　はしない」

「わかりました！」ヤセザル看守は言い終わるが早いか、すぐさま出入り口から外へ出た。

　ところが、ヤセザル看守が食堂から出て十数歩も行かないうちに、中が急にさわがしくなった。

「わああっ、どうしたんだ!?」

「じゅうをうばえ！　じゅうだ！」

「わぁーっ！　反乱　だ——っ！」

「何も見えんぞ！　気をつけろ——！」

食堂から聞こえてきたどなり声に、ヤセザル看守はおどろいて足を止め、そちらをふり返った。そのしゅん間、

長居──訪ねた家などに長くとどまること。
反乱──政府などにそむいて戦いを起こすこと。

「ドォン！」というおそろしいばく発音がひびき、きょうれつな **しょうげき** 波と **ほのお** がヤセザル看守をおそった。かれの体は十数メートルもふき飛ばされ、地面の上でごろごろと転がって、ようやく止まった。

「大変だ──！　**ばく発** したぞ──！」

「食堂から火が出たぞ──！」

「水を持ってこい！　急げ！」

しょうげき──物体に急に加えられる、激しい力。

ほのお──物が燃える時に出るもので、光を出している部分。火えん。

ばく発──強い勢いで破裂すること。

　さけび声があちこちから上がった。地面にたおれていたヤセザル看守は、ようやくふらふらと体を起こした。食堂のほうを見ると、そこは一面のほのおに包まれていた。

　「どうして……、どうしてこんなことに……?　さっきまで何も問題はなかったのに……」

　ヤセザル看守は、ただぼうぜんとほのおをながめた。

　「何をボケッとしている!　早く火を消すのを手伝え!」

　同りょうの看守が、火災現場のほうにかけつけながら、ヤセザル看守に向かってどなった。

　「ああ!」ヤセザル看守はそこで我に返り、あわてて水おけをつかんで消火に向かった。

同りょう——同じ役目についている人。同じ仕事の仲間。

27

火の勢いはかなり強かった。十数人の看守たちが必死に水をかけ、1時間以上かかって、ようやく消すことができた。

　「所長はどこだ？　所長を見つけたか？」ヤセザル看守はおろおろしながら同りょうたちに聞いて回った。

　「見つけたよ。でも、意識がないんだ」ひとりの看守がつらそうに答えた。

　「ほかの人たちは？」

　「所長を警備していたふたりも、しゅう人たちもひどいやけどを負っていて、名前を呼んでも返事をしない」

　「**急いでかれらを病院に運ぼう！**」ヤセザル看守は泣きそうになりながら言った。「早く！」

　看守たちは、火事の現場からけが人をひとりずつ運び出し、急いで近くの村にある病院まで運んでいった。のどかな村の小さな病院は、ふだんは訪れるかん者も少なく、今までこんな重大事故に対応したこともなかった。一度にたくさんの重傷者が

....

おろおろ──どうしてよいかわからなくて、あわてる様子。
やけど──火や高熱の物にふれて、ひふが赤くただれたり、ひふに水ぶくれができたりすること。
重傷──重い傷。大けが。

運ばれてきて、病院は大混乱となった。

　ようやくすべての人をねかせる場所を作り、医師と看護師が、やけどを負ったけが人たちをひとりひとり見て回ったが、まもなく、全員がもう息をしていないことがわかった。

「ひとりも助からなかったのですか?」ヤセザルとその同りょうの看守たちは、ぼうぜんとして医師に聞いた。

「残念ながら、全員お亡くなりになりました」

　ロックという名前の外科医師が、悲しそうな面持ちで言った。「重いやけどか、こいけむりを吸いこんだことが原因のようです。正確な死因については、解ぼうの結果を待たなければなりませんが…」

解ぼう——生物の体を切り開いて、中の様子を調べること。

「そんな……」医師の言葉を聞いた看守たちは、がまんできずにその場で泣き出した。

「申し訳ありません。かれらがここに運ばれてきたときには、すでに手のほどこしようがありませんでした」ロック医師はため息をつきながら言った。

「亡くなったかたがたの、身①元の確認をお願いします。全部で9人です。お顔まで

ひどいやけどを負っているかたが多いので、だれがだれかを判別するのは大変かもしれません」

「わかりました……」ヤセザル看守がなみだをぬぐった。医師の後について遺①体の確認に行こうとしたとき、ふと、ヤセザル看守の足が止まった。

「どうかしましたか?」ロック医師がふりかえった。

「今、『全部で9人』とおっしゃいましたか?」ヤセザル看守が聞いた。

身元──その人の生まれや育ち、現在の環境など。
遺体──死んだ人の体。なきがら。

30

「そうですが?」

「火事が起きた食堂には、7人のしゅう人に加え、ポーリー所長とふたりの警備員、あわせて10人いたはずなんです」

「そんなはずはない。私自身が確認していますが、**遺体は9体でしたよ**」ロック医師ははっきりと言った。

「おかしいですね」ヤセザル看守がふるえる声で言った。「確認に行きましょう」

事態の重大さに気づいたロック医師は、すぐにヤセザル看守たちを連れて病室に行き、ひとりずつ遺体を確認して回った。幸い、ポーリー所長とふたりの警備員の遺体はすぐにわかった。だが、**しゅう人たちの遺体は、何度数えても6体しかなかった!**

「だれがいないんだ?」看守のひとりが言った。

「**スカーフェイスだ!**」ヤセザル看守が✧**パニック**✧になったようにさけんだ。

「**スカーフェイスの遺体がない!**」

....

パニック——地震、火災などの思いがけない危機に直面した人や群集が引き起こす混乱状態。

3 花火大会

「あーあ、まったく、退くつで退くつで死にそうだよ」

　ロンドン、ベイカー街221Ｂの1室。**シャーロック・ホームズ**が居間のソファにねころび、ひまを持て余していた。

「もうまるまる1か月も、調査のいらいが来ないんだ。脳みそがさびついてしまいそうだよ」

「君の脳みそがさびるかさびないかはどうでもいいけど、ぼくが心配してるのはだね……」**ワトソン**はしぶい顔をして、その先を言うのをやめた。

「知ってるだろ？　ぼくのしんりょう所も、最近はかん者が少ないんだ。

退くつ──何もすることがなく、ひまで困ること。
いらい──用事などを人にたのむこと。
しらばくれる──知っているのに、知らないふりをする。

今月は十数人しか来ていない」

「ふぅん……、そうかい?」ホームズはワトソンの心配が何かわかっていたが、わざと しらばくれて 言った。「心配するなよ。ここ数日、急に寒くなったり暑くなったりしたから、かぜを引いた人も多いだろう。すぐにたくさんの病人が、君のしんりょう所に押し寄せるさ」

ワトソンは、へりくつを言わせたら右に出る者のいないこの友人を、横目でじろりとにらんだ。来月の家賃はまたぼくが立てかえることになるのかな。——そう思うと、ワトソンは暗い気持ちになった。

その時、せわしない足音が階段を上がってくるのが聞こえてきたかと思うと、「バン！」と音を立ててドアがけり開けられ、ベイカー街少年探てい団のバニー少年が大興奮でかけこんできた。

「グッド・ニュース！　グッド・ニュースですよぅ！」

「何がグッド・ニュースだ。私に事件の調査のいらいが来るとでもいうのか？」ソファにだらしなく横たわったまま、めんどうくさそうにホームズが聞いた。

「ちがいますよぅ！」バニーがかん高い声で言った。「来るのはアリスですよぅ！　ホームズさんに会いにここに来ますよ」

「何だって!?」ホームズはびっくりしてとび上がり、危うくソファから転げ落ちそうになった。

「アリスが大家のおばさんと相談し

へりくつ——すじの通らない、勝手なりくつ。
せわしない——「せわしい」を強めた言い方。いかにもあわただしい。
大家——家を貸している人。家主。

て、ホームズさんに何か言いに来るそうですよぅ」バニーがもう一度、はっきりと言った。

「大家さんと相談して、だと……?」ホームズの顔から  がすうっと引いた。

「私は事件の調査でアイルランドに行ったことにしてくれ。家にいるとは絶対に言わないでくれよ」ワトソンに向かってそう言いながら、ホームズは洗面所にかけこもうとした。

　だが、ホームズの行く手は、両手を広げたバニーによってさえぎられた。

「ホームズさん、落ち着いてくださいよぅ。アリスは家賃の取り立て✨に来るんじゃないですよ。別の用事で来るんです」

「うそをつくな。あのむすめに限って、私に別の用なんかあるものか。きっと大家さんにたのまれて、先月の家賃を取り立てに来たにちがいない」

「何だって!?」今度はワトソンがびっくりする番だった。

血の気が引く──おそろしかったりおどろいたりして、顔が真っ青になる。
取り立てる──厳しくさいそくして、お金を集める。

35

「先月の家賃もまだはらっていないのかい？　大家さんに直接手わたしたって、この前言ってたじゃないか!?」

「ええと、それはただ……、ただ君を安心させるためにそう言っただけだ」ホームズは苦笑いしながら言った。「ハハハ……、なんというか、敵を**あざむく**にはまず**味方をあざむけ**、ってやつだね」

「味方をあざむくだって!?　君は本当にひどいやつだな！」

ワトソンが本気でおこりだした。

「ホームズさん！」

とつぜん、ホームズの背後から、女の子の声がひびいた。

「あ、……しまった」ホームズは、後ろをふり向かなくても、それがだれの声かわかった。

「ホームズさん、あたしたちを 花火 に連れていってくださらない?」ホームズのあわてぶりにはかまわず、アリスが落ち着いた口調で言った。

「花火?」ホームズは何のことかわからず、アリスのほうにふり向いた。

「2日後に、花火大会があるでしょう？大家のおばさんはほかの用事があるか

あざむく——だます。
花火——種々のものをまぜ合わせた火薬に火をつけ、音や光の形・色を見て楽しむもの。

36

ら、代わりにホームズさんに連れていってもらいなさいって言ったんだよ」バニーがわくわくした表情で付け足した。

　ホームズは、バニーをちらっと見た後、アリスのほうを向いて、(((おそるおそる 聞いた。

「君は……、家賃を取り立てに来たんじゃないのか?」

「お家賃のことは、もう少し待ってあげてもいいのよ」アリスは大人のような口調で言った。「うふふっ、あたしたちを花火大会に連れていってくれたらね」

「そうか!」ホームズは大喜びで、深く考えもせず言った。

「いいとも! 花火だってなんだって連れてってやるさ。まかせとけ!」

「わ――い! やったぁ!」バニーとアリスは、興奮してぴょんぴょん飛び回った。

....

おそるおそる――びくびくしながら。こわごわ。

やった！

　ここでホームズは、ふと我に返って聞いた。

「それはそうと、その花火大会は何のイベントなんだい?」

「うそっ!? そんなことも知らないの?」アリスはびっくりして聞き返した。「ビクトリア女王のお誕生日をお祝いする花火大会よ」

「そうかい? そんなイベントがあるとは知らなかったな」ホームズはワトソンを見て聞いた。「君、知ってた?」

「もちろんだよ。ロンドン中がその話で盛り上がってるじゃないか。本当に知らなかったのかい?」ワトソンが言った。

「君はまったく、事件の調査以外のことには、少しも関心がないんだな」

「花火は、金属の粉末を燃やした時に起きる化学現象にすぎないからね。私にとっては、おもしろくもなんともないのさ」ホームズはかたをすくめて言った。

$$\Delta E = h\frac{c}{\lambda}$$

....

関心——心を引きつけられること。また、その気持ち。
化学——物質の組み立て、性質、変わり方などを研究する学問。

38

「もう！ つまらない人ね。ロマンってものがないんだから」アリスは横目でホームズを見ながら言った。「どうりで、恋人のひとりもいないはずだわ」

「クク……クク……、ハハハ……**アッハッハッハ！**」ホームズがアリスにやりこめられている様子を見て、バニーがこらえきれずに大笑いした。

「**笑うな！**」

耳まで真っ赤になったホームズが、バニーをしかりつけた。

「はい！」バニーはあわてて"気をつけ"をし、大真面目な顔で軍隊式の敬礼のまねをすると、

「**報告します！ ホームズさんに電報が来ていますです！**」

と言いながら、1通の電報を差し出した。

....

ロマン──夢やぼうけんなどに強くあこがれること。
敬礼──敬って、きちんと礼をすること。また、そのおじぎや挙手。

「おいおい、電報があったなら早く出してくれよ」ホームズはバニーの手から電報をうばうと、すぐに読みだした。

「だれからだい?」ワトソンが聞いた。

「うむ……」ホームズが まゆを ひそめた 。「スコットランドヤードのゴリストレード警部とフォックソン警部からだ」

「何か事件かい?」

「『鉄ぺき』かんごくでばく発事故が起きて、死者が9人出た」

「えっ!」バニーとアリスがおどろいて声を上げた。

ワトソンもびっくりして言った。「以前、だつごくしたマックを追って、ぼくらが行ったことのあるあのかんごくのことか?」

「そうだ。まさにあの場所だよ」ホームズは深いため息をついて言った。「亡くなった人の中に……、あの時、我々が会ったポーリー所長の名前もある」

「ポーリー……」ワトソンは当時のことを思い返した。「……あの太っちょの所長か……」

....

まゆをひそめる──心配ごとや、ふゆかいなことで顔をしかめる。

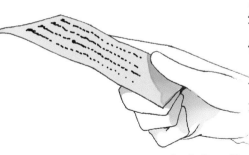

「そのポーリー所長だ。かれは少しおっちょこちょいだったが、仕事にはとても**忠実**な人だった。こんな死に方をするなんて、かわいそうなことだ」ホームズが言った。

「それから、ばく発事故の後、かんごくからスカーフェイスという名前のしゅう人が姿を消した」

「スカーフェイス……？　どこかで聞いた名前だが……」

「忘れたのか？　かんごくの運動場で見かけた男だよ」ホームズが続けた。「マックがだつごくする前、わざとなぐりかかって、やつの歯を2本折っただろう？　あのスカーフェイスだよ」

「ああ！　思い出した！」ワトソンが言った。「**マックは、自分がだつごくしてむすめの結こん式に出るため、そしてスカーフェイスのだつごく計画を止めるために、やつにけんかを売ったんだったね**」

「そうだ。マックは最初のうち、スカーフェイスのだつごく計画の準備に協力させられていたけれど、

....

忠実——正直で真面目なこと。

それを逆手にとって、水と氷の 特性 を利用したアイディアを使い、自分が先にだつごくしたのさ」ホームズは、当時のことを思い出しながら言った。「スカーフェイスはとうとう自力でだつごくに成功した。今回、やつが利用したのは、水ではなく火だったんだ」

「火？ ということは、ばく発はスカーフェイスが起こしたのか?」

「そうとしか考えられない」ホームズが断言した。

「電報によれば、スカーフェイスはばく発の後、病院に運ばれたが、そこで姿を消したそうだ。ばく発は明らかに、大混乱を作り出すためにわざと起こされたものだよ。やつはけが人のふりをしてかんごくから運び出された。病院からなら、簡単ににげ出すことができただろうね」

「なるほど……」ワトソンも理解した。「でも、自分がだつごくするために９人もの命をぎせいにするなんて、スカーフェイスは本当に血もなみだもないやつだな」

「そうだ。だから我々は、絶対にやつをつかまえなければならない!」ホームズの目がきらりと光った。

特性——そのものが持っている、特別な性質。
理解——物ごとのすじ道やわけを正しく知ること。
血もなみだもない——人間らしい思いやりの心が少しもない。冷たく人情がない。

「行くぞ！　ゴリストレードたちに合流するんだ！」

「花火大会のことを忘れないでくださいよぅ！」バニーが声を張り上げた。

「今そんな時間はない！　きょう悪なだつごく犯が野放しになっているんだぞ！」ホームズはそう言い残すと、ワトソンのうでをつかみ、家を飛び出した。

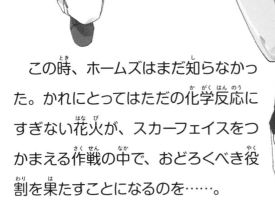

この時、ホームズはまだ知らなかった。かれにとってはただの化学反応にすぎない花火が、スカーフェイスをつかまえる作戦の中で、おどろくべき役割を果たすことになるのを……。

………………………………………………

野放し──気ままにさせること。

43

4 ばく発現場

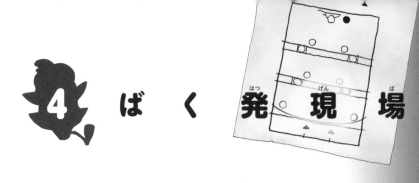

　ホームズとワトソンが「鉄ぺき」かんごくにとう着し、ばく発事故のあった食堂のところまで行ってみると、そこはまったくひどい あ り さ ま だった。

　かべと柱は真っ黒に焼けこげ、ゆかには消火活動でできた水たまりがあちこちに残っていた。ワトソンはこの様子をひと目見て、こんな状態の現場から、事件解明の手がかりを探すのはとても難しいだろう、と思った。

「おう、来たか……」

　スコットランドヤードの**ゴリストレード**警部が、暗い表情でそうひとことだけ言った。かれも、ポーリー所長には、前回のマックだつごく事件の時に会ったことがある。所長がこんなふうに亡くなってしまって、ゴリストレードも悲しんでいるようだった。

「亡くなったのは9人です。本当に 悲さん な事故ですよ」**フォックソン**警部もため息をついた。

「ばく発の原因がわかったかね?」ホームズがたずねた。

ありさま——物ごとの様子。状態。
悲さん——悲しく痛ましいこと。

「まだです」フォックソンが頭を横にふった。「でも、食堂の中のひ害状況から判断すると、大量の((ばく薬))が使われたと思われます」

「フン！ このかんごくの警備は本当に**ずさん**だな。しゅう人がばく薬を手に入れることができたなんてな」ゴリストレードがむくれ顔で言った。

「**いえ！ ここではすべてが厳しく管理されています。ばく薬がこっそり持ちこまれることなんて、ありえません！**」

みんなの背後から、そう声がした。

みんなが後ろをふり向くと、ヤセザル看守が、くちびるをかみしめてそこに立っていた。ホームズとワトソンは、1年前にだつごくしたマックを**追跡**した時、かれが雪山を案内してくれたことを思い出した。

「**ばく薬もないのに、ばく発が起きたというのか？** じゃ

ばく薬──ばく発を起こすための薬品。
ずさん──やり方にあやまりが多く、いいかげんなこと。
追跡──あとを追うこと。

あ、原因は何だ?」ゴリストレードが厳しい顔でヤセザル看守につめ寄った。

「そ、それは……」ヤセザル看守は言葉につまった。

ホームズは少し考えて聞いた。「ばく発が起きた時のもくげき者はいますか?」

ヤセザル看守は頭をふった。

「失そうしたスカーフェイスを除いて、あの時食堂にいた人たちは、全員死んでしまいました。だから、ばく発のもくげき者はいないのです」

「では、けが人を救出した時、けが人が何か言っているのを聞きませんでしたか?」

「聞いていません。事故現場から救出した時、かれらは全員意識がありませんでした。もしかしたら、もう死んでいたのかもしれません」ヤセザル看守が悲しそうに言った。

「そうですか……」ホームズはだまって目をつぶり、何かを考えていたが、しばらくしてまた聞いた。

もくげき——その場にいて、実際に目で見ること。
失そう——人が行方をくらますこと。失跡。
救出——助け出すこと。

「では、ばく発の前、食堂の中では何か**特別**☆なことが起きていませんでしたか?」

「特別なことですか……」ヤセザル看守は、その時のことを思い出しながら言った。

「食堂の中で、しゅう人たちは改装工事をしていました。ポーリー所長はふたりの警備員をともなって、作業を視察するところでした。特に変わったことはありません。でも、ばく発の直前、食堂の中でだれかが『**じゅうをうばえ!**』とか『**何も見えない!**』とかさけぶのが聞こえました」

「うん? おまえはばく発の時の状況をよく知っているようだな?」

ゴリストレードが、疑いのこもった声で聞いた。

「ぼくはその日、現場のかんとくを担当していたのです。出入り口のとびらのかぎを開けて、ポーリー所長を食堂の中に連れて入ったのは、ぼくです」

....

特別——ふつうとちがっている様子。

「なにい？　おまえが所長を食堂に連れて入ったのか？」ゴリストレードは、何かを疑問？に思ったようだった。「じゃあ、なぜおまえはやけどをしていないんだ？」

「それは……、その後、ぼくはトイレに行くために食堂を出たのです。でも食堂の出入り口から十数歩ほどはなれたところで、ばく発が起きました」

「ヘイヘイヘイ……」ゴリストレードは冷たく笑うと、いきなりヤセザル看守の制服のえりをつかんでどなった。

「そんな都合のいいことがあるか！？　トイレに行くなんて言い訳だろ？　おまえがばく発に関わったにちがいない！」

「ち、ちがいますよ！」ヤセザル看守はあわてて否定した。

「ぼ……、ぼくがなんでそんなことをするんです？」

「フン！　きっとスカーフェイスに買収され

疑問——はっきりわからないこと。疑わしいこと。疑い。
都合——手はず。だんどり。
買収——人にこっそりお金や品物をやって、味方に引き入れること。

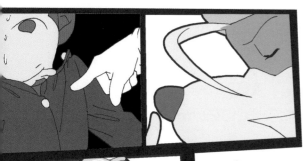

たに決まってますよ！」
フォックソン警部もゴリストレードに<ruby>同調<rt>どうちょう</rt></ruby>して<ruby>大声<rt>おおごえ</rt></ruby>で言った。

「<ruby>待<rt>ま</rt></ruby>ちなさい」

　ホームズが<ruby>手<rt>て</rt></ruby>を<ruby>挙<rt>あ</rt></ruby>げ、<ruby>興奮<rt>こうふん</rt></ruby>しているスコットランドヤードのでこぼこコンビを<ruby>止<rt>と</rt></ruby>めた。そしてヤセザル<ruby>看守<rt>かんしゅ</rt></ruby>に<ruby>近<rt>ちか</rt></ruby>づき、かれの<ruby>制服<rt>せいふく</rt></ruby>の<ruby>表面<rt>ひょうめん</rt></ruby>に<ruby>付<rt>つ</rt></ruby>いていた<ruby>黒<rt>くろ</rt></ruby>い<ruby>粉<rt>こな</rt></ruby>をさわると、その<ruby>指<rt>ゆび</rt></ruby>を<ruby>自分<rt>じぶん</rt></ruby>の<ruby>鼻<rt>はな</rt></ruby>に<ruby>近<rt>ちか</rt></ruby>づけて、においをかいだ。

「ばく<ruby>発<rt>はつ</rt></ruby>の<ruby>後<rt>あと</rt></ruby>、<ruby>服<rt>ふく</rt></ruby>を<ruby>着<rt>き</rt></ruby>がえていませんよね?」 ホームズがヤセザル<ruby>看守<rt>かんしゅ</rt></ruby>に<ruby>聞<rt>き</rt></ruby>いた。

　「はい、スカーフェイスがいなくなったことがわかって、すぐにかれのそうさくにかかったので、<ruby>家<rt>いえ</rt></ruby>に<ruby>帰<rt>かえ</rt></ruby>って<ruby>着<rt>き</rt></ruby>がえる<ruby>時間<rt>じかん</rt></ruby>なんかありませんでしたよ」

　「よろしい」ホームズは<ruby>満足<rt>まんぞく</rt></ruby>そうにうなずいた。「ばく<ruby>発<rt>はつ</rt></ruby>が<ruby>起<rt>お</rt></ruby>きた<ruby>時<rt>とき</rt></ruby>、あなたは<ruby>食堂<rt>しょくどう</rt></ruby>の<ruby>出入<rt>でい</rt></ruby>り<ruby>口<rt>ぐち</rt></ruby>からわずか<ruby>十数歩<rt>じゅうすうほ</rt></ruby>のところにいた。それなら、ばく<ruby>発<rt>はつ</rt></ruby>のしょうげき<ruby>波<rt>は</rt></ruby>を<ruby>受<rt>う</rt></ruby>けたのではあ

<ruby>同調<rt>どうちょう</rt></ruby>——<ruby>調子<rt>ちょうし</rt></ruby>を<ruby>合<rt>あ</rt></ruby>わせること。ほかの<ruby>人<rt>ひと</rt></ruby>の<ruby>考<rt>かんが</rt></ruby>えと<ruby>同<rt>おな</rt></ruby>じになること。
におい——<ruby>鼻<rt>はな</rt></ruby>に<ruby>感<rt>かん</rt></ruby>じるもの。<ruby>香<rt>かお</rt></ruby>りやくさみ。
そうさく——<ruby>人<rt>ひと</rt></ruby>や<ruby>物<rt>もの</rt></ruby>を<ruby>探<rt>さが</rt></ruby>し<ruby>求<rt>もと</rt></ruby>めること。

りませんか?」

「はい。きょうれつな熱風を受けて飛ばされました」

「あなたがあびた熱風は、事件の手がかりを残してくれましたよ」 ホームズが 意味ありげ に言った。

「まずは、ばく発現場をよく調べましょう」そう言うと、ホームズは自ら、黒こげの食堂の中に足をふみ入れた。そして下を向いて地面をていねいに観察しているうちに、焼け こげた ひもを何本か見つけた。

「改装作業に、ひもは使っていましたか?」ホームズがヤセザル看守に聞いた。

「ええと……、たぶん使っていなかったと思います」ヤセザル看守は自信なさげに答えた。

「では、これらのひもは、どうしてここにあるのでしょう?」ホームズが再び聞いた。

「それは……、ぼくにもよくわかりません。たぶん、石灰の入ったふくろの口をしばってあったものではないでしょうか?」

ホームズはうなずいた。そして顔を上げると、今度は上のほうを

意味ありげ——何か特別な意味がありそうな様子。

こげる——火に焼かれて、色が変わる。

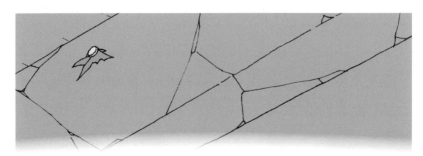

観察し始めた。しばらくすると、かれは天じょう近くにわた
された　**はり**　の下で立ちどまり、じっと上を見つめた。

「どうした？　何か見つけたかい?」ワトソンが聞いた。

「うん……、ただ、**あのはりの、天じょうに近い部分に、
ぼろきれがくぎで打ち付けてあるのは、なぜだろうと
思ってね**」

　ほかの人たちも近づいていってその場所を見上げると、
ホームズの言うように、くぎで打ち付けられたまま焼けこげ
ている布があった。

「おかしいですね？　何であんなものがあるんだろう?」ヤセ
ザル看守もきみょうに思って言った。

「昨日の改装工事では、どんな作業をしていたんです?」ホー
ムズが聞いた。

「かべに石灰をぬっていました」ヤセザル看守が答えた。「石
灰をぬり終わって、それが完全にかわいたら、その上から

はり──屋根の重みを支えるために、柱の上に横にわたす材木。

をぬる予定

でした」

「石灰とペンキですね?」

「はい。石灰十数ふくろ

と、ペンキ十数缶が食堂

に運びこんでありました」

「では、その時、しゅう人たち

が立っていた 位 置 を

覚えていますか?」ホームズの

目がきらりと光り、すぐさまヤ

セザル看守に聞いた。

「だいたいなら覚えています。ひとりはここに、

ひとりはそこに、それから別のひとりがあそこ

に立っていました」ヤセザル看守が、しゅう人

たちが立っていた位置を指さした。

「では、ポーリー所長と警備員たちは、

どこに立っていましたか?」

「ぼくがトイレに行く前に、所長は『全体

....

ペンキ──絵の具を油などにとかしたもの。
物をくさらせないように、また、美しくする
ためにぬる。ペイント。
位置──物のある場所。また、その場所に
あること。

を視察する』と言っていました。ばく発が起きた時は、たぶん、食堂の真ん中辺りにいたのではないでしょうか？　ふたりの警備員は、出入り口の左右両側に立っていました」

　ホームズはノートを取り出すとそのページを1枚破りとり、食堂の**平面図**をかくと、ヤセザル看守の言ったとおりに、それぞれの人がいた位置を書きこんだ。

　「だいたいこんな感じですか?」ホームズが平面図を見せると、

平面図──物を真上から見た時の形を表した図。

ヤセザル看守がそれを確認してうなずいた。

「やはり思ったとおりだ！」ホームズのひとみの奥に、冷たい光がさっと走った。

「石灰だ！　手がかりはあの石灰のふくろの中にある！大ばく発を引き起こしたものはそれだ！」

「何だって!?」

それを聞いて全員がおどろき、そしてわけがわからずにいた。──石灰が、どうやってばく発を引き起こしたというのか？

ひとみ──目の黒い部分。目。

5 白い粉のふくろ

「フフン、石灰と何の関係があるんだよ？　石灰ははく薬じゃないぞ。どうやって大ばく発を引き起こせるってんだ?」ゴリストレードはホームズを見て鼻で笑った。

「そのとおりだ。石灰ではばく発を引き起こせない」ホームズが言った。「だが、私の推理では、しゅう人たちは石灰をあるものと入れかえて──」

「ちょーっと待ったぁ!」

フォックソンが、ホームズの説明に無理やり割りこんだ。

「しゅう人たちが石灰のふくろにばく薬をつめて食堂に運びこんだって言いたいんでしょ？　でも、そんなのすぐにばれますよ。ふくろの中身を確認した看守が、

入れかえる──前にあった物のかわりに、ほかの物を入れる。

56

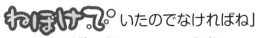　いたのでなければね」

「ぼくは食堂に運びこまれた石灰のふくろを全部開けて確認しましたが、すべてに白くて細かい粉が入っていました。 火薬 だったはずがありません」ヤセザル看守は、さらに付け加えた。「石灰のふくろに限らず、外からかんごくに入ってくる物資は、すべて厳しく 検査 されています。あんなばく発を引き起こす量のばく薬を運びこむのは不可能ですよ」

「ではふくろの中に入っていたのが、石灰ではなく小麦粉だったらどうだろう？ どちらも"白い粉"だから、ちょっと見ただけではわからなかっただろうね」ホームズの言葉が、みんなをおどろかせた。

「はぁ？ 小麦粉ぉ?」ゴリストレードが目を真ん丸に開いて言った。「おれたちはパンを焼く話をしてるんじゃないぞ?」

ねぼける──目は開けても、完全に目覚めていなくて、ぽんやりしている。ねむっている時に、無意識におかしなことをする。

火薬──しょう石・いおうなどをまぜて作る、ばく発を起こす薬品。花火・ばくだん・鉄ぽうのたまなどに使われる。

検査──基準に合っているか、悪いところがないかどうか調べること。

小麦粉──小麦の実を粉にしたもの。パン、菓子、うどんなどの材料になる。メリケン粉。

「あなたの相棒は、どうかしちゃったんじゃないですか?」フォックソンはワトソンにささやいた。

「ホームズ、わかりやすく説明してくれないか? 小麦粉がどうやってばく発を引き起こすんだい?」ワトソンも身を乗り出すようにして聞いた。

「フフフフ、君たちはどうやら、『粉じんばく発』というものについて、聞いたことがないようだね」ホームズが言った。

「粉じんばく発? いったいなんのことだ?」ゴリストレードが聞き返した。

「簡単に言うと、燃えやすい細かい粉末が空中にじゅう満した場所で火花などにふれると、ばく発が起きることがあるんだよ。これを『粉じんばく発』というんだ。めったには起きないことだけれど、鉱山や製粉所、

相棒——いっしょに物ごとをする相手。
粉じんばく発——空気中に浮遊する小麦粉などが火花などによって引火し、ばく発すること。
じゅう満——いっぱいになること。満ちあふれること。
火花——物と物が激しくぶつかったときに出る火。または、プラスとマイナスの電気がふれ合うときに出る光。スパーク。

58

木材加工所、金属加工所などで、ある条件がそろ
うと発生することがある」

「でも……、石灰は燃えませんよね」
ヤセザル看守がきん張した顔で言った。

「そう、石灰は燃えない。でも、石灰と入れ
かえられた小麦粉だったらどうかな?」ホームズ
がさらに説明した。「小麦粉は燃える。空気中
に高い のう度 で小麦粉がただよって
いたら、簡単に火がついてばく発するんだよ」

「ということは……、ぼくが確認した
時にふくろの中にあった白い粉は、石
灰ではなく、本当に小麦粉だったの
でしょうか?」ヤセザル看守は、ぶるぶ
るっと体をふるわせた。

「自分の制服のにおいをかいでごらん。こ
げたパンのにおいがするはずだよ」ホームズ
が言った。

ヤセザル看守はあわてて自分の制服のにおいを

のう度──液体や気体の、こさの度合い。

かいだ。ひとかぎすると、かれの顔色は真っ白になり、その
ままだまりこんでしまった。

「おれにもかがせろ！」

　ゴリストレードとフォックソンも、ヤセザル看守につめ寄り、
着ている制服を必死でくんくんとかいだ。

「ほんとだ！　こげたパンのにおいがするぞ！」

　　　　　ふたりがさけんだ。

「ばく発のしょうげき波が、こげた
小麦粉をヤセザル看守の制服に
ふき付けたんだ」

　　　さらにホームズは、天じょう
　　近くのはりを指さして言った。

「私は、あのはりの上にくぎ
で打ち付けてあったぼろきれは、
小麦粉をいっぱいにつめたふく
ろだったと推測。している。しゅう人たちは、ポーリー
所長が食堂の真ん中まで歩
いてきたその時、小麦粉のふ
くろの口を解いたんだ。小麦
粉は勢いよく落ちてきて、空
気中にじゅう満した。そして、
混乱に乗じて、だれかが火
をつけた。こうして、大ばく
発が起きたんだよ」

ホームズは続けた。
「食堂の一番奥にいたス
カーフェイスを除き、しゅ
う人たちは柱のすぐそば
に立っていた。ポーリー
所長とふたりの警備員が

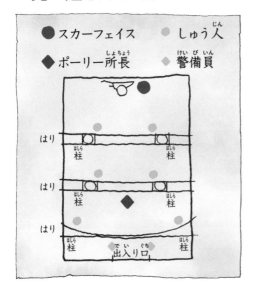

推測──わかっていることをもとに
して、人の心の中や物ごとのなりゆ
きを推し量ること。

61

出入り口から入ってきた時は、はりの後ろ側や、柱の後ろ側は見えなかった」ホームズは、先ほどかいた食堂の平面図を、みんなに見せながら言った。

「さっき、焼けこげたひもを拾っただろう？　私の推理によれば、しゅう人たちは、はりの後ろ側に、小麦粉の入った布ぶくろを、口を下にしてくぎで打ち付けておいたと考えられる。ふくろの口は、強く引っ張ったらほどけるような結び方で、ひもでしばって閉じてあったにちがいない。ひものはしは、柱の後ろ側に、柱に沿って垂らしてあったはずだ。つまり、ふくろもひもも、所長や警備員のいた位置からは見えなかったんだ。タイミングを見てひもを強く引っ張れば、ふくろの口をしばっていた結び目がほどけて、中に入っていた小麦粉が落ちてくる、というわけさ」

「うむ……」ゴリストレードもうなずいた。「その時、食堂内の空気中には小麦粉がじゅう満していて、視界も悪かったはずだ。所長とふたりの警備員がじゅうを持っていたとしても、こんなとっ発的な状況には対応できなかった

推理——わかっていることをもとにして、まだわかっていないことを推し量ること。
タイミング——何かをしようとするのに、ちょうどよい時。または、その時機やしゅん間を合わせること。
結び目——結び合わせたところ。結い目。
視界——目に見える範囲。
とっ発——急に起こること。とつぜんに起こること。

だろうな」

「そうだ」ホームズが言った。「ヤセザル看守がばく発の直前に聞いたという『何も見えないぞ』というは、その状況のことを言っていたんだ」

ワトソンはしばらく考えをめぐらせてから言った。「だけど、しゅう人たちは、ばく発で自分も死ぬかもしれないのに、どうしてこんなことをしたんだろう？　いくらボスとはいえ、スカーフェイスをだつごくさせるために自分の命まで差し出すなんて、ありえないだろう?」

「うん。その可能性は低いね」

ホームズが推理を続けた。

「私が思うに、スカーフェイス以外のしゅう人たちは、小麦粉がばく発を引き起こすなんて、知らなかっ

悲鳴──おどろいた時や、痛い時に上げる、さけび声。

たんだろうよ。つまり、みんなスカーフェイスにだまされたのさ。もし私がスカーフェイスなら、こう言って手下たちをそそのかすだろうね」

小麦粉をえん幕のようにまいて目くらましにするぞ！そのすきに看守たちのじゅうをうばって、全員でだつごくするんだ！

よしきた！ じゅうさえうばえば、こっちのもんだ！

「ああ……、ばく発の直前に、『じゅうをうばえ！』という声が聞こえたのは、そのためだったんだ……」ヤセザル看守ははっと気がついた。

「しゅう人たちは、おろかにもスカーフェイスを信じたばっか

えん幕――敵から味方をかくすために張りめぐらすけむり。
目くらまし――相手の目をあざむくこと。また、その方法。

りに、命を落としてしまったんだね……」ワトソンはため息
をつきながら頭をふった。

「待ってくださいよ！　まだわからないことがありますよ！」
フォックソンが声を上げた。「こんな大きなばく発でほかの
人は全員死んでしまったのに、なぜスカーフェイスだけが生
き残って、病院からにげ出すことまでできたんですか?」

「フフフ……、かれが立っていた場所に気がつかなかったか
ね?」ホームズが言った。「スカーフェイスは食堂の一番奥に
いた。あそこにあるものが見えるかな?」

　そう言って、ホームズは食堂の奥を指さした。その地面に
は、鉄でできた手押し車が転がっていた。

「ああっ!」ヤセザル看守はおどろいて声を上げた。「つ、つ
まり……、ばく発が起きた時、スカーフェイスはあの
手押し車の下にかくれて
いたんですね?」

ため息——困ったり、
心配した時に出る
大きな息。

「**なんてこった！**」ゴリストレードが興奮してギリギリと**歯を食いしばった**。

「スカーフェイスのやつ、どこまで**悪がしこい**んだ！ こんなひどい方法を使ってだつごくするなんて！」

「悪がしこいだけじゃなく、人間らしい心のかけらもないやつですよ！ 自分ひとりがだつごくするために、ほかのしゅう人たちをだまして、平気で命までうばったんですから！」

今回はフォックソンも**激ど**していた。

「ぼくの責任です……。ぼくがもっとしっかりふくろの中身を確認していれば、こんなことにはならなかったのに……」ヤセザル看守が、**消え入る**ような声で言った。

「自分を責めてもしょうがない。スカーフェイスが、小麦粉を使ってばく発を引き起こしたとわかったんだから、我々はこの線から**そう査**を進めよう！」ホームズが、ヤセザル看守を元気づけるように言った。

「まずは石灰の**おろし売り**業者を当たろう！ そ

歯を食いしばる──歯をかたくかみ、一生けん命こらえる。
悪がしこい──悪いちえがよくはたらく。ずるがしこい。
激ど──激しくおこること。
消え入る──ひとりでに、または、しだいに消えてなくなる。
そう査──主に警察などが、犯人や証拠を探し調べること。訪ね探すこと。
おろし売り──問屋から、小売り商に品物を売りわたすこと。

66

いつはきっと、スカーフェイスの仲間だ。そいつが石灰と小麦粉を入れかえたんだ！」ワトソンが言った。

　みんなは、すぐにかんごくに近い村に向かい、そう査を開始した。だが、石灰をおろしていた業者は、すでに**行方**をくらましていた。ばく発事故が起きた後、すぐににげたのだ。

　聞きこみを続けるうち、ばく発事故の1週間前、村の製粉所にだれかが十数ふくろの小麦粉を注文したことがわかった。

しかも、ふつうの小麦粉よりも、

もっと細かい粉にひくように、特別な注文を付けたのだ。製粉所の所長は当時、「きっと口当たりのなめらかなパンを焼きたいのだろう」と思い、特に気にはかけていなかった。だが、ゴリストレードたちからその小麦粉の本当の**使い道**を聞かされ、ひどくおどろいた。小麦粉は、細かくすればするほど、粉じんばく発が起こりやすくなるのだ！

行方——行ったところ。行った方向。また、進んでいく先。行き先。
使い道——役立つようないろいろな使い方。用途。

67

科学小知識

粉じん★ばく発

「粉じん」とは、空気中にただよっているごく細かいりゅう子（つぶ）のことです。可燃性の物質のりゅう子が、ある一定以上ののう度で空気中にただよっている時に、ほのお、火花、静電気などの着火源とふれると、「粉じんばく発」と呼ばれるばく発が起きることがあります。

　粉じんばく発が起きるには、**❶可燃性の粉じん**、**❷酸素**、**❸着火源**の３つの要素がそろっていることが必要です。

> **❶可燃性の粉じん**──小麦粉、粉砂糖、石炭の粉、金属粉など、可燃性のある物質のごく細かいりゅう子（500ミクロン以下といわれています）が、一定以上ののう度で空気中にただよっている。※１ミクロンは1000分の１ミリメートル。
>
> **❷酸素**──空気中に、十分な酸素がある。
>
> **❸着火源**──ほのお、火花、静電気、まさつ熱などの着火源がある。火のついたタバコ、ワット数の高い電球（高熱）、機械のまさつによって起きる高温なども、着火源になる。

　この３つの要素がそろった時、次のような過程で、粉じんばく発が起きます。小麦粉を例に説明しましょう。

　物が燃えるには、酸素が必要です。小麦粉は可燃性がありますが、ふだん、ふくろに入っていたり、器に入れられたりしている状態では、りゅう子とりゅう子の間のすき間がせますぎて、燃えるのに十分な酸素がないので、火を近づけても、燃えたりばく発したりすることはありません。

　しかし、小麦粉が空気中にただよっている状態では、りゅう子ひとつひとつの表面が酸素にふれています。

　この状態の時に、りゅう子がほのおや高熱などの着火源にふれて熱せられると、すぐに周りの酸素と反応して燃え出します。

　空気中にたくさんのりゅう子がただよっている状態では、りゅう子からりゅう子へと、連さ反応的に燃え広がります。これがほぼいっしゅんのうちに起こり、ばく発となるのです。

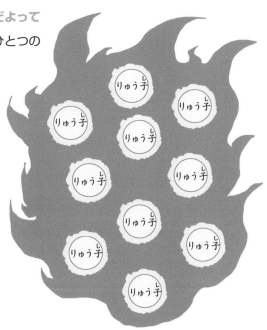

監修／藤丸卓哉(元大磯教育研究会CEO)

6 さらわれたむすめ

「君の推理のとおり、あれはスカーフェイスが仕組んだ粉じんばく発だったんだね」

ベイカー街の家にもどった後、ワトソンは感心した口調でホームズにそう言った。

「残念なのは、石灰のふくろをかんごくに納入した業者の行方を見つけられなかったことだよ。それに、製粉所に小麦粉を注文した人物も」

ホームズが少しくやしそうに言った。

「すべての手がかりは、ここで断たれてしまった」

「そうだね」ワトソンもがっかりした顔で相づちを打った。

この時、ホームズたちの部屋のドアをノックする音が聞こえた。ドアを開けて入ってきた人物を見て、ふたりは目を見

納入──物やお金を納めること。
手がかり──きっかけ。手づる。糸口。

張った。その人物はほかでもない、かつて「鉄ぺき」かんごくからだつごくしたことのある、国際的に有名な大さぎ師、マックその人だったのだ!

「マック!　もうかんごくから出たのかい?　まさか、まただつごくしたのではあるまいね?」ホームズが聞いた。

「皮肉を言わないでくださいよ」マックは苦笑いをした。「真面目にけいに服したので、2週間前にしゃく放されたんです」

「でも、こんなタイミングで我々に会いに来るなんて、もしかしてスカーフェイスのだつごくと何か関係があるのかな?」ホームズは、マックの顔を正面からじっと見つめた。じつはワトソンも、マックが入ってきた時から同じことを考えていた。

「さすがは名探ていホームズさん、何もかもお見通し

さぎ——人をだまして、損害をあたえること。
しゃく放——つかまえていた人を自由にすること。
見通し——見破ること。正しく判断すること。

ですな」マックが言った。「私が今日こちらをお訪ねしたのは、スカーフェイスの問題を解決するために、おふたりにご協力をいただけないかと思ったからなんです」

「スカーフェイスの問題？　もしかして、やつに何かいやがらせをされているんですか?」ワトソンが「まさか」という表情で、マックにたずねた。

「そのとおりです」マックがうなずいた。「以前、私がやつのだつごく計画を**そ止**したことで、スカーフェイスはずっと私

そ止——おさえとどめること。食い止めること。

72

をうらんでいたようです。やつは今回だつごくに成功した後、すぐに私への復しゅうにとりかかりました」

「でも、スカーフェイスはどうやってあなたを探し出したんです?」ホームズが不思議に思って聞いた。「あなたは身をかくすのがとてもうまい。あのころスコットランドヤードのけいじたちが全員がかりでそう査しても、あなたの行方を知ることすらできなかったのに」

「そうです。私の居所を探し当てるのは簡単ではありません」マックが少し笑って言った。「でもあの時も、ホームズさんは私を探し出すことができた。今回、スカーフェイスも同じ方法で私を探し出したのです」

「なんと……!」ホームズはおどろいた。「ということは……、**スカーフェイスはケイティに近づいたんですか?**」

うらむ——にくらしく思う。

「そうなんです。スカーフェイスは、私のむすめのケイティに近づいただけでなく、むすめをさらって人質にし、私をおびき出そうとしているのです」マックはつらそうな表情でそう言った。

「ケイティがスカーフェイスにさらわれたのですか！？」

ワトソンが大声を上げた。

「はい」マックが**悲痛**な面持ちで言った。

「ケイティを育ててくれた私の友人のところに、スカーフェイスから伝言がありました。『**おまえとむすめの身がらを交かんだ。おまえが現れなければ、むすめの命はない**』と！」

「なんてことだ！」マックの言葉に、ホームズとワトソンはきょうがくした。

「あなたがたも覚えているでしょう？　数年前、私はケイティの目の前でたいほさ

人質──要求をおし通すために、人をつかまえておくこと。また、つかまっている人。

悲痛──心が痛くなるほど悲しいこと。

身がら──その人の体。その人自身。

れ、むすめの心に大きな傷を負わせてしまった」マックは**苦々しい**表情で言った。「その後、むすめは良いパートナーに出会って結こんしました。ようやく幸せに暮らせるようになったはずなのに、私のせいで、またこんなことに巻きこまれてしまった。すべて私の責任だ……」

　ワトソンは、約1年前、マックがケイティの結こん式にひそかに出席した時のことを思い出した。

　むすめの乗った馬車に、自分がプレゼントしたぬいぐるみがかざってあるのを見て、マックはうれしさのあまりなみだを流していた。自分のせいでむすめがさらわれて人質になった今、マックは、心がナイフで**ずたずた**に切りさかれるような気持ちでいるだろう。

「自分を責めていてもしかたがありませんよ。まずはケイティを助け出す方法を考えましょう」ホームズは、マックをなぐさめるように言った。「どうやって、むすめさんとあなたの身が

苦々しい──ふゆかいでおもしろくない。
ずたずた──細かく切りきざんだり、破ったりした様子。

らを交かんするか、スカーフェイスから指示がありましたか?」

「すでに、❀中立ち❀の人を通じて、話をつけてあります」マックが言った。「私が自主的にスカーフェイスたちのもとへ行けば、ケイティを解放するそうです」

「スカーフェイスの言葉を信用できますか?」ホームズは少し疑いを持った。「あなたが行けば、やつは本当にむすめさんを解放するでしょうか? "ぬす人に✦追い銭"ということになるのでは?」

「それはだいじょうぶです」マックはきっぱりと言った。「やつは必ず、むすめを解放するでしょう。ご存じのとおり、私は一流のさぎ師。スカーフェイスをだましてケイティを解放させるのは、難しいことではないのです。あなたたちが力を貸してくれさえすれば」

「スカーフェイスをだますのですか?」ホームズが、ぐいっと

仲立ち──両方の間に入って、とりもつこと。また、その人。
ぬす人に追い銭──損をしたうえに、さらに損をすること。

76

身を乗り出した。「それはぜひとも話をうかがわなければ」

「私が『鉄ぺき』かんごくに収容された直後、スカーフェイス一味は、自分たちのおそろしさを示すために、私をなぐったりけったりして、ひどく痛めつけました。かれらが新入りに対していつもやっていることです」

マックは当時を思い出しながらそう語った。「私は自分を守るため、『今までさぎでだまし取ってきた大量の財宝を、ある場所にかくしてある。かんごくを出たら、その一部をあげよう』とやつらにうそをつきました。スカーフェイスは、どこで調べたのか、私が国際的なさぎ師であることを知り、私のうそを信じたのです」

「そんなことがあったんですね」

一味──仲間。特に、悪いことをする仲間。
財宝──財産や宝物。

ワトソンはマックの話をおどろきをもって聞いていた。

「はい。その後スカーフェイスは、私をおどし、自分のだつごく計画に協力させようとしました。しかしやつらは、まさか私がやつらの裏をかいて自分でだつごくするとは思ってもみなかったのでしょう。その時のことについては、あなたたちもよくご存じだと思いますが」マックは苦笑した。

「わかりました」ホームズが口を開いた。「あなたがうそで言った『財宝』を手に入れるために、スカーフェイスはあなたをすぐには殺さないだろう、ということですね?」

「そのとおりです」マックがうなずいた。

「しかし、あなたが財宝を差し出さなければ、スカーフェイスはむすめさんを解放しないのでは?」ワトソンが心配して言った。

苦笑——おもしろくてではなく、しかたなくする笑い。苦笑い。

「だからこそ、あなたたちの助けが必要なのです」マックが

真けんな声で言った。「私はすでに、仲立ち人を通

じてスカーフェイスにこう伝えてあります。『財宝は、私の仲

間に預けてある。ケイティが無事に解放されたのを仲間が確

認できなければ、この取引は **◆決 れつ◆** する』と」

「つまり――」ホームズは **しんちょう** に言った。「私

たちに、あなたの『仲間』を演じてほしい、ということでしょ

うか?」

「そうです」マックは強い **意 志** をこめたまなざしで、

ホームズをまっすぐに見すえた。「スカーフェイスの一味を

いちもう だじん にするためには、あなたたち以

上にたよりになる人はいないのです」

「ふむ……」ホームズはしばし考えこんだ。「しかし、スカー

真けん――真面目な様子。本気。
決れつ――話し合いや会議などで、意見がまとまらないで終わること。
しんちょう――注意深いこと。軽々しくしないこと。
意志――あることをしようとする気持ち。やりとげようとする心。
いちもうだじん――一度入れたあみで全部の魚をとるということから、悪者などを
一度に全部とらえること。

フェイスもばかではない。ケイティを解放した後、我々が財宝を差し出さなければ、人質になったあなたは無事ではいられないでしょう」

「フフフフ……」マックはさびしげに笑った。「ケイティを助け出すことさえできれば、私の命はどうなってもよいのです」

「自分の命を**ぎせい**にして、むすめさんを助け出すのですか?」ホームズは目を大きく見開いた。「そんなのはさぎではないですよ」

「いいえ、私からすれば、これは十分に"さぎ"なのですよ」マックは大真面目な顔で言った。

「私たちさぎ師がお金や財宝をだまし取るときには、元手というものが必要なのです。例えば、100ポンドの価値のあるものをだまし取るために、はじめに10ポンドを用意してえさにします。それで100ポンドのものをだまし取れれば、それで90ポンドをもうけたのですから、大成功なのです」

ぎせい——人のために自分の命や、大切なものを投げ出すこと。
えさ——人をおびき寄せる手段にするもの。

「でも、あなたの命とむすめさんの命をひきかえにするのは、単に1対1の交かんです。何ももうけてはいませんよ」ワトソンがマックの言葉に反論した。

「**ちがう！**」マックは急にさけんだ。

「私は人生の大半を、人をだまして生きてきた。**正真正めい**の社会のくずなんだ！　今の私の命には**一文①**の価値もない。しかし、ケイティのおなかの中には子供がいるんだ！」

「**何だって！？**」ホームズとワトソンは、かみなりに打たれたようなしょうげきを受けた。

「**これは1対1の交かんなんかじゃない。ひとつの命とふたつの命の交かんだ！**」興奮したマックの言葉は止まらなかった。

正真正めい——まちがいなく本当のこと。本物のこと。
一文——ごくわずかのお金。

「ケイティは本当に美しくて、清らかなむすめなんだ。あの子は結こんしてまだ1年、これから何人も子供を産んで育てるだろう。あの子の未来は、光と希望に満ちあふれている。あの子の命は、きらきらとかがやく宝石、最高の宝物なんだよ。なんの価値もない私の命と交かんに、かけがえのない宝物を取りもどせるなら、それは大もうけじゃないか！」

　マックの一連の言葉を聞いて、ホームズとワトソンはだまりこみ、返す言葉も見つからなかった。

　「これは私の一世一代のさぎなのです」マックの目には、なみだが光っていた。「どうか、おふたりの力を貸していただけませんでしょうか」マックは、まっすぐな目でふたりを見つめた。

　ホームズは、長い間うつむいて考えていた。ようやく、ゆっくりと頭を上げると、何かを決意した表情でマックに言った。「あなたがそこまで心を決めているのであれば、私もだまって見ていることはできません。いっしょにケイティ

宝石——ダイヤモンドやルビーなどのように、美しくて、値打ちのある鉱物。
宝物——大切にしている物。
一世一代——一生のうち二度とないようなこと。
決意——考えをしっかり定めること。

を救出し、スカーフェイスをつかまえましょう！」

「ありがとう！　ありがとうございます！」マックは、ホームズの手をしっかりとにぎり、ワトソンのほうを向いて、かれにも礼を言った。

「でも、ケイティを無事に救出したら、私とワトソンで必ずや、あなたを助け出す方法を考えますよ」

ホームズはそう付け加えるのも忘れなかった。

7 人質の交かん

　2日後、マックとホームズ、ワトソンは、人質の交かん場所としてスカーフェイスに指定された、あれ果てた古い **修道院** にやってきた。スカーフェイスにばれないように、ホームズとワトソンはつばの深いぼうしをかぶり、マックの仲間のような **変装** をしていた。

　前の日までにマックとスカーフェイスは、人質交かんの **手順** について、仲立ち人を通じて取り決めをしてあった。マックが自らスカーフェイスのところに出向いた後、スカーフェイスはケイティをマックの仲間に引きわたす。マックの仲間がケイティを安全な場所まで連れていって初めて、**取引** の第1

修道院──キリスト教を信じる人が集まって暮らし、神に仕えるところ。

変装──別人に見えるよう、身なりや顔つきなどを変えること。

手順──仕事を進めていく順序。段取り。

取引──条件を示して、相手とかけ引きをすること。

84

段階が成立する。第2段階は、その翌日、別に指定する場所で、マックの仲間たちが持ってきた財宝とマックの身がらを交かんする、というものだ。

　ホームズは修道院の広い前庭に立って、感心したように言った。「スカーフェイスはなかなか頭の切れるやつだな。人質交かんの場所として、こんなところを探してくるとはね」

「どういうことだい?」ワトソンが聞いた。

「ここは中世に建てられた修道院だよ。出入り口が4つあり、その奥はくねくねと入り組んだろうかでつながっている。ろうかのところどころに鉄のとびらがあって、閉

中世──時代区分のひとつ。古代と近世の間の時代。日本では、鎌倉・室町時代。西洋では、5世紀ごろから15世紀ごろまで。

じられるようにもなっている。当時は とうぞくが横行していたか
ら、そのしゅうげきに備え、修道院
の多くがこんな迷宮のよ
うな造りになっていたんだ。だから
今、我々が中にふみこんでスカーフェ
イスたちをつかまえようとしても、と
ても難しい」

　それを聞いて、マックがあわてて言った。「ここでやつらを
つかまえようなんて考えないでくださいよ。ケイティを安全
に連れ出すのを最優先にしてください」

「わかっています
よ。ご安心を」
「さて、どうする?」
ワトソンが聞いた。

「スカーフェイスは、マックに、か
べにばつ印の付けてあ

とうぞく——人の物をとる悪者。どろぼう。
迷宮——出口がわからなくなるような、通路がこ
み入った建物。
ばつ——だめなことを表す「×」のしるし。ばっ
てん。ぺけ。

る出入り口から中に入るよう指示してきた」ホームズは、マックのほうをふり向いて聞いた。「準備はできましたか?」

　マックは深く息を吸うと、紙ぶくろをひとつ、真面目な表情でホームズに手わたした。

　「私の代わりに、これをケイティにわたしてください。私がかんごくに入って以降、誕生日のプレゼントをおくってやれなかった。これは私からの記念の品であり、**つぐない**でもある。ホームズさん、ワトソンさん、後のことは、どうかよろしくたのみますよ」

　マックはそう言うと、背筋を伸ばし、まっすぐに前を向いて、ばつ印の付いた出入り口へ歩いていった。出入り口から修道院の中に入ったマックの姿は、そのまま暗やみに消えていった。

....

つぐない──つぐなうこと。うめ合わせ。またそのために使うお金や物など。

死に直面しても堂々としているマックの姿を、永遠に忘れることはないだろう、ワトソンはそう思った。

「うん？　ぬいぐるみ？」

感がいにひたっていたワトソンは、ホームズの声で我に返った。

「何だって？」

「マックからケイティへのおくりものは、ぬいぐるみ1個だったよ」

「そのぬいぐるみ……」ワトソンは、ホームズの手の中にあるぬいぐるみを見て言った。「……見たことがあるぞ。ケイティの結こん式で馬車にかざられていたぬいぐるみと同じものだ」

「そうだね。あれはケイティがマックへの気持ちを伝えるために、馬車にかざったものだった。マックも、このぬいぐるみに、言葉につくせないむすめへの思いをこめているんだね」ホームズはしみじみと言った。

この時、左はしの出入り口から、大きなおなかをかかえた若い女性が、ふらふらした足取りで歩み出てきた。

「**ケイティだ！**」ワトソンがさけんだ。

「ケイティ！」ホームズがあわててかけ寄った。「ケイティ、私はお父さんの友人だよ！　君のことをお父さんから任されたんだ。さあ、行こう！」言い終わると、ホームズはケイティのかたを抱きかかえ、急いでそこから連れ出した。

3人は用意してあった馬車に乗りこんだ。ホームズは、急いでこの場をはなれるよう、ぎょしゃに言いつけた。

感がい──心にしみじみと感じること。
ぎょしゃ──馬車に乗って馬をあやつり、馬車を動かす人。

ホームズは、窓から修道院が完全に見えなくなった後、ようやく、たましい♥がぬけたようになっているケイティに声をかけた。「お父さんは、あなたを救うため、自ら進んで身代わりになったんだ……」

　そして、ことの成り行きをケイティにすべて説明し、あのぬいぐるみを手わたした。「お父さんが君に残したものだよ。長い間、誕生日プレゼントをおくってあげられなかった、と言っていた」

　「パパ……」ケイティはふるえる手でぬいぐるみを受け取り、じっとそれを見つめた。「……パパは、私のために、自分の命を差し出して……」そこまでつぶやくと、ケイティはぬいぐるみをぎゅっと抱きしめて泣き出した。

たましい——心のはたらきのもととされるもの。
身代わり——人の代わりになること。
成り行き——物ごとがうつりかわっていくありさま。これから先の進みぐあい。

「落ち着いて。我々がなんとかして、お父さんを助け出すから」ホームズがケイティを力づけるように言った。「気が動転しているのはわかるが、お父さんを助けるために、いくつか質問に答えてほしい。いいね?」

ケイティはなみだをふき、気じょうにもうなずいた。

「わかりました」

「よろしい」ホームズは、温かいほほえみをうかべ、落ち着いた口調でケイティにたずねた。「君はどこで、スカーフェイ

動転——非常におどろきあわてること。
気じょう——気持ちがしっかりしていること。

すたちにさらわれたのかな?」

「私……、あの日の朝、**家の近くのミラー市場で買い物をしていた時に、さらわれたんです……**」ケイティの言葉は、まだ少しいた。「とらえられてすぐ……、黒い布のふくろを頭からかぶせられて、何も見えなくなりました。でも……、馬車に乗せられたのはわかりました」

「ミラー市場の辺りは、私もよく知っている」ホームズが続けた。「馬車でどのくらい走ったか、覚えているかい?」

「だいたい……、1時間くらいだったと思います」ケイティは、ようやく少し落ち着きを取りもどしたようだった。「馬車を降りた後、どこかの家に入

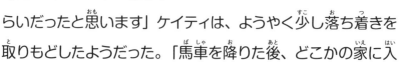

ふるえる──寒さやおそろしさなどで、体がこきざみに動く。

りました。この時、布ぶくろのすき間から  こっそり 自分のうで時計を見たら、時間は9時10分でした」

「では、馬車に乗っている間、何か音を聞かなかったかな?」

「ええ。**とちゅうで、川の水が流れる音を2回聞きました。それに、教会の♪かね🔔の音も1回聞こえました」**

「川が流れる音と、教会のかねだね?」ホームズはしばらく、まゆの間にしわを寄せて何かを考えていたが、1枚の紙を取り出し、そこに地図のようなものをかいた。

こっそり──人に知られないように物ごとをする様子。ひそかに。

教会──キリスト教徒の集会所。教会堂。

かね──たたいたり、ついたりして鳴らす器具。つりがねなど。

地図──実際の地形をある割合に縮めて、平面上に表したもの。

「ミラー市場を起点にして、2本の川をわたったとすれば、馬車は北に向かったにちがいない。だが川をわたった後、道はふたつに分かれ、その2本の道のどちらにも教会がある。君が聞いたかねの音は、そのどちらかのものだろう。だが、いったいどっちだろうか?」

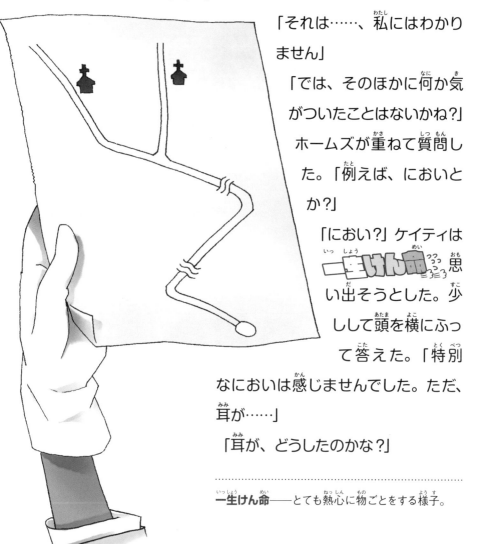

「それは……、私にはわかりません」

「では、そのほかに何か気がついたことはないかね?」ホームズが重ねて質問した。「例えば、においとか?」

「におい?」ケイティは一生けん命思い出そうとした。少しして頭を横にふって答えた。「特別なにおいは感じませんでした。ただ、耳が……」

「耳が、どうしたのかな?」

....

一生けん命——とても熱心に物ごとをする様子。

「ただ、……かねの音が聞こえた後、耳が少しつまったような感じがしました。その後、馬車がとまり、どこかの家に連れていかれたのです」

「うむ。耳がつまったような感じか……。何が起こったんだろう?」ホームズが、少し下を向いてぶつぶつ言った。

とつぜん、かれの目に光が差し、顔を上げて言った。

「わかったぞ!　気圧だ!　君が連れていかれたのは、左側の道にちがいない!　左側は上り坂になっ

ている。坂を上ったから気圧が変わって、耳がつまったような感じになったんだ!　右側の道は平らだから、耳がつまることもないはずだ」

上り坂

「そう言われると、そんな感じでした。私はいつも馬で坂道を登ると、耳がつまるんです」

「よろしい!」ホームズは興奮をかくしもせずに言った。

「左手の道を行くと小さなおかになっていて、そこに十数け

気圧——大気の圧力。空気がその重みで地球の表面を押し付けている力。

んの家がある。その中のひとつが、君がとらわれていた、スカーフェイスたちの **かくれが** だろう」

「でも、スカーフェイスはマックを別の場所に閉じこめるかもしれないぞ」ワトソンが口をはさんだ。

「いや」ホームズがきっぱり **否定** した。

「スカーフェイスはだつごくしてまだ間がない。かくれがを2か所も用意する時間はなかっただろう。このロンドンで人目につかない場所を探すのは、簡単なことではないのだよ。しかも、ケイティには **目かくし** をして連れていったから、我々がかくれがを探し当てるとはスカーフェイスも思っていないはずだ。きっと、同じかくれがにマックを閉じこめるにちがいない」

「それもそうだね」ワトソンが言った。「でも、そのおかには十数けんの家があるんだろう？　その中から、どうやってその家を見つけるんだい？　1けん1けん **ノック** して回る

....

かくれが──人目をさけて、こっそりと住んでいる家。
否定──そうでないと打ち消すこと。
目かくし──目をおおって見えなくすること。
ノック──部屋に入る時ドアをたたくこと。

わけにもいかんだろう?」

「うむ……、そこは確かに難しいところだ。まずは現場に行って様子を見るしかないだろう」

「あ……」ケイティが何かを思い出したようだった。

「馬車から降ろされたとき、布ぶくろのすき間が少しだけ開いて、……**地面に　クリーム 色の小さな花びらが、いくつも落ちているのが見えました!**」

「クリーム色の小さな花びらだね？　それはとても重要な手がかりだよ!」ホームズは興奮して、馬車の中で立ち上がりそうになった。

「もし、どこか1けんの家にだけ、門の近くにクリーム色の花が咲いた木が植えてあり、ほかの家にはなかったら、その家が、やつらのかくれがということだ!」

「じゃあ、今すぐ父を助けに行け

クリーム色──クリームのようなうすい黄色。

ますか?」ケイティが、**気が急いた** ように聞いた。

「いや、今回はスコットランドヤードに協力を求めないと」ホームズが座席に座りなおして言った。「スカーフェイスはきっと、手下を何人も集めているだろう。さすがに、我々ふたりだけでは**太刀打ち**できないからね」

ケイティは、じっと何かを考えてから言った。「**とらわれていた時⋯⋯、4つのちがった声を聞きました。かれらは、たぶん4人だと思います**」

「すばらしい! それもとても大事な情報だよ」

ホームズはそう言い終わると、馬車を走らせていたぎょしゃにスコットランドヤードに向かうように言いつけた。

....

気が急く──早くしようと気持ちがあせる。
太刀打ち──張り合って競争すること。

8 かくれがはどこ？

「何ですって？　だつごくしたスカーフェイスが、もう事件を起こしたんですか?」

スコットランドヤードのフォックソン警部は、ホームズから事情を聞かされて、大いにおどろいた。

「フン！　飛んで火に入る夏の虫だ!」

ゴリストレード警部はにくにくしくてたまらないというように、歯を食いしばって言った。

「許しがたい悪党め！　おれたちをさんざんふり回しやがって！　絶対にひっとらえて、目にもの見せてやるからな!」

「まあ、落ち着きたまえ」ホームズがなだめた。「今、マックがやつらの人質に

飛んで火に入る夏の虫——何も知らないで、自分から進んで災いの中に飛びこむこと。
悪党——悪いことをする仲間。悪い人。
目にもの見せる——ひどい目にあわせて思い知らせる。

なっているんだ。しんちょうに計画を実行しないと、マックの命が危ない」

「安心しろ！ あんたの推理によれば、やつらのかくれがはあのおかの上だということだな？ スコットランドヤードの警官を大ぜい動員して、あのおかの周りをきっちり包囲してやる！ ねずみ1ぴきたりともにがさねぇぞ！」

ゴリストレードが自信たっぷりに言った。

「絶対にやめてくれ！」ホームズがあわてて反対した。

「大ぜいの警官がつめかけたら、すぐにやつらに気づかれてしまう。スカーフェイスたちは命知らずの**ならず者**だ。下手に手を出せば、きっと必死で反げきしてくる。そうなったらマックの命が危ないだけでなく、警官たちにもけが人が出てしまうぞ」

「じゃあどうしろってんだ？ ごちそうがすぐ目の前にあるのに、指をくわえて見てろって言うのか?」ゴリストレードが不満そうに言った。

「ケイティの話によれば、スカーフェイス一味は全部で4人

....

動員——ある仕事のために、大ぜいの人や物を集めること。
包囲——周りを取り囲むこと。
ならず者——決まった仕事をしないで、悪いことばかりしている人。ごろつき。

だそうだ。私とワトソン、そして君たちふたりを合わせれば、こちらもちょうど4人。しかも君たちときたら、ひとりで8人はやっつけられる経験豊富な<u>もさ</u>じゃないか？ 大ぜい連れていく必要はないさ」ホームズはそう言いながら、ワトソンにちらりと<u>目くばせ</u>した。

「そうそう、ホームズの言うとおりだ！ <u>百戦れんま</u>の君たちには、たった4人の悪党の相手なんか朝飯前だろう？ しかも君たちだけでスカーフェイスをつかまえることができれば、明日の朝刊にふたりの名前がばっちりのるだろうね。ほかの警官に<u>てがら</u>をゆずらなくてもいいんじゃないかな?」ワトソンもホームズに調子を合わせて言った。

「うむ……」ゴリストレー

うむ……

もさ──強くて勇ましい人。
目くばせ──目でする合図。
百戦れんま──多くの戦いやたくさんの経験を積んできたえられていること。
てがら──りっぱなはたらきや仕事。

ドは、ちょっとの間、深く何かを考えているようなふりをしていたが、**まんざらでもなさ**そうな口調で言った。

「まあ、それもそうだな。おれひとりでも、悪党10人くらいの相手は余ゆうでできるからな。大ぜい連れていくこともないか。ハッハッハッ！」

「そうですよね！」相棒が**大ぶろしきを広げた**のを見て、フォックソンも**弱音**をはけなくなった。

「私が行けば、スカーフェイス一味なんて、もうつかまったも同然ですよ！　ハッハッハッ！」

ワトソンは心の中で**ほくそ笑んだ**。スコットランドヤードのでこぼこコンビは、まったく単純だな。ちょっとおだてれば、すぐにホームズの意のままになっちゃうんだから。

まんざらでもない──いやではない。必ずしも悪くない。
大ぶろしきを広げる──実現できないような大げさなことを言ったり、計画したりする。
弱音──力のない声。いくじのない言葉。
ほくそ笑む──うまくいって、ひとりでにやにや笑うこと。

「それがいい」ホームズも少しほっとしてそう言った。

「我々4人はスカーフェイスに顔を見られている。変装をし

てから出発しよう。かく
れがを㊥特定するため
に、申し訳ないが、ケイ
ティにもいっしょに来て
もらおう」ホームズが続
けた。

「私が推理した道をいっ
しょに馬車で通り、おか
を登るときに耳がつまっ

た感じがするかどうか、確認してもらう必要がある。それに
地面に咲いていたというクリーム色の小さな花についても、
かのじょ自身に見てもらわなくては」

「安心しろ！　ケイティの身の㊥安全はおれが守る！
おれにまかせとけ！」ゴリストレードが自分の胸をドン！とた
たいて言った。

　こうして話がまとまったところで、ホームズは、ろうかに待
たせていたケイティに計画をくわしく話して聞かせた。

特定──特に、それと決めること。
安全──危なくないこと。

ゴリストレードとフォックソンも急いで服を着がえて変装し、部下に命じて、街から馬車を借りてこさせた。

　準備がすべて整うと、5人は馬車に乗りこんだ。ホームズ、ワトソン、ケイティ、ゴリストレードが客席に乗り、ぎょしゃに変装したフォックソンが、前に座って馬をあやつった。

　ケイティがさらわれた道すじをたどるために、馬車はまず、かのじょがとらえられた場所──ミラー市場まで行き、そこからホームズがかいた地図に従って、かくれががあると思われるおかに向かうことにした。道すがら、ホームズは、ケイティに目を閉じて周囲の音をよく聞き、さらわれた時に

道すがら──道を通りながら。道々。

通った道と同じかどうか、思い出すように言った。

　馬車が1本目の川に近づいた時、ケイティはすぐに言った。「**川の音！** さらわれた時、最初に聞いた川の音と似ています」

「よろしい！」ホームズはにっこりした。

　しばらくして、もう1本の川にさしかかった時、再びケイティが声を上げた。「**また川の音がします！** そう、これもあの時の音とそっくりです」

「そりゃよかった！」ゴリストレードは興奮して言った。「おれたちの道はまちがってないぞ！」

　ところが、馬車がさらに進むと、ケイティは目を閉じたまま、少し心配そうな声で言った。「あの時は、**この辺りで教会のかねの音が聞こえたんですが……**」

「じつは、今ちょうど教会の前を通ったところだよ」ホームズがそう言って、ケイティを安心させた。「あの教会のかねは、毎時ちょうどに鳴るんだ。あの日、君がここを通り

かかったのは、たぶん朝の9時ちょうどだったから、かねの音が聞こえたんだ。今は午後5時40分だから、かねは鳴っていない」

上り坂

　　　ホームズはさらに言った。「よし、じゃあ今度は、耳がつまったような感じが起きるかどうか、集中してみて」

「わかりました」ケイティは少しきん張した表情でうなずいた。

　　　ホームズ、ワトソン、ゴリストレードは、息をひそめてじっとケイティを見守っていた。ケイティのひたいに、じんわりと汗がにじんできた。

　7、8分たったころ、ケイティのまぶたがとつぜんぴくっと動いた。そしてケイティは、くちびるをふるわせて言った。

「あの……、耳が、耳がつまったような感じがしています」

「本当か？　大当たりだ！」ゴリストレードは大喜びでそう言った。「まちがいない！　このおかのどこかに、スカーフェイスたちのかくれががあるぞ！」

　　　ホームズとワトソンもほっと一息ついた。

きん張──心が引きしまること。
当たり──ねらいどおりになること。また、くじなどで選ばれること。
一息──一休みすること。

　この時、ぎょしゃの席に座っていたフォックソンが、大声で何かを伝えてきた。

「見てくださいよ！　おかの上に、なぜかたくさんの人が集まっています！」

「何だって？」車内の４人はそれを聞いて初めて、外がなんだかなっていることに気がついた。窓のカーテンを開けてみると、確かに、おかの草地の上にたくさんの人が立っているのが見えた。集まった人々は、うれしそうにおしゃべりをしながら、何かが始

まるのを待っているかのようだった。

「いったい、これはどうしたことだろう？」ワトソンはわけがわからないという顔をした。

....

さわがしい──音や声が大きくてやかましい。

ホームズはまゆとまゆを寄せて目の前の光景をじっと見ていたが、しばらくしてとつぜん大声で言った。

「あっ!　しまった、すっかり忘れていた!」

「忘れてたって、何をだ?」ゴリストレードがして聞いた。

　「おととい、バニーとアリスが言っていた。**今日はビクトリア女王の誕生日で、夜には花火大会があるんだ!**　あそこに集まった人々は、たぶん、花火がよく見えるように、このおかに登ってきたんだろう」

　「そう言えば……、おれも思い出したよ」ゴリストレードが頭をぽりぽりかきながら言った。「署で、今日の花火大会に関する通知が回っていたのを見た。確かこの近くにも、花火の打ち上げ場所がひとつあったはずだ」

　「どうしたらいいんでしょう?　こんなにたくさんの人が集

光景——目に見える様子。ありさま。景色。
おろおろ——どうしてよいかわからなくて、あわてる様子。

まっていて……、こんな中で、父を助け出すことができるんでしょうか?」ケイティが心配そうに聞いた。

「うん……」ホームズは考えこんだ。

「この**状況**には、良い点と悪い点があるな。悪い点は……、スカーフェイスを取り押さえようとする時に、花火を見に来た人たちを巻きこんでしまう可能性があるということだ。……良い点は、我々がこのにぎわいに**まぎれて**行動することができるということだよ」

「そのとおりだ！」ゴリストレードは自分のひざをポンと打って言った。「こんなにたくさんの人がここに来ているんだ。やつらのかくれがを探しておれたちがうろうろしても、あやしまれることはないだろう」

「いずれにしろ、我々はまず、クリーム色の花の咲いた木を探そう」ホームズが言った。

「かくれがを特定してから、次の行動を決めるんだ」

状況──その時のありさま。様子。
まぎれる──入りまじってわからなくなる。

この時、馬車の速度が落ち、ぎょしゃ席にいるフォックソンが声をかけてきた。

　「おかのてっぺんに着きましたよ。この後はどうします?」

　「村をぐるりと回ろう。クリーム色の花が咲いている木を探すんだ」ホームズがそう返事をした。

　「がってんです!」フォックソンは馬をゆっくりと走らせた。

　ホームズたちは、馬車の窓から、1けん1けんの家、その近くに生えている1本1本の木を、注意深く観察して回った。

　だが、おかの上の村を何周しても、地面の上にも木の上にも、クリーム色の花を見つけることはできなかった!

がってん——承知すること。うなずくこと。がてん。
注意深い——十分注意をする様子。細かいところまで気をつける様子。

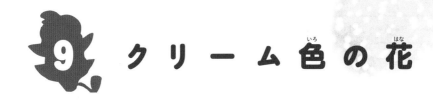

9 クリーム色の花

「ケイティ、あの日、地面にクリーム色の小さな花びらが落ちているのを見たのは、確かなんだね?」

　ホームズがケイティに確認した。

「え、ええ……、あの日は、確かに花びらを見たはずなんです。でも……、わからなくなってきました……」

ケイティは言葉につまりながら言った。自分の記おく
に、少し自信がなくなってきたようだった。

「何かを見まちがえたという可能性はないかい？　例えば、
花びらに似た紙くずとか……」ワトソンが聞いた。

「うむ……、紙くずかどうかはともかく、君の仮説
は検討に値するね」ホームズが言った。

「あの日、ケイティは頭に黒い布ぶくろをかぶせられていて、
視界はごく限られていた。しかも見たのはいっしゅんだ。何
か別のものを花と見まちがえてもおかしくはない。だが、ケ
イティが『クリーム色の小さな花びらのようなもの』を見た、

ということだけは、はっきりしている。馬車
を降りて、1けんずつ確認してみよう」

ホームズは、ワトソン、ゴリストレードにそ
ううながして、馬
車から降りた。フォック
ソンは馬車に残ってケイ
ティに付きそうことにした。ホームズた

....
記おく──物ごとを覚えること。また、覚えているこ
とがら。
仮説──あることの説明のために、仮に決めておく考
え。
検討──よく調べて研究すること。
うながす──そうするようにすすめる。

ちは、花火見物に来た人を**よそおって**、おかの上の村の
家々を1けん1けん確認していった。

　30分ほどで、村のすべての家を見て回ったが、やはりクリーム色の花のような形をしたものは見つからなかった。3人は
意気消ちんして、ある家のへいに寄りかかって立ちつくした。

....

よそおう──そのふりをする。
意気消ちん──がっかりして、張りきっていた気持ちがすっかりなくなること。

「やっぱりケイティの見まちがいだったのか？」ゴリストレードががっかりした声で言った。

「うむ……、その可能性はあるな。極度のきん張やきょうふの中では、人にはよく目のさっ覚や、記おくの混乱というものが起きるからね」

ホームズはそう言いながら、ふと、視線を目の前の地面に落とした。するととつぜん、何かに気がついたように目を大

きく見開き、そのままじっと地面を見つめた。

ワトソンはホームズの様子に気がついた。「どうした？　何

・・

極度——これ以上にはならないという程度。はなはだしいこと。

きょうふ——おそれること。こわがること。

さっ覚——思いちがい。かんちがい。

か見つけたかい?」

「見ろ!」

　ホームズは地面を指さして言った。

　ワトソンとゴリストレードも、ホームズの指さした地面をよく見たが、そこには石ころひとつ落ちていなかった。

「気づかないのかい?　**かげ**　だよ!　地面の上のかげと光が見えないのか?」

　ホームズは興奮して、地面の上に長くのびている門のとびらのかげと、その間にさしている光を指さして言った。

「かげと光がどうしたって?　いったい何の関係が?」ワトソンもゴリストレードも**ちんぷんかんぷん**だった。

「ハハハ、いっしょに来たまえ」そう言うと、ホームズは**足早**に歩きだした。ゴリストレードとワトソンは、わけがわからないまま、ホームズの後を追った。

かげ——物が光をさえぎって、その形があらわれるもの。

ちんぷんかんぷん——わけのわからないこと。

足早——歩き方が速いこと。

少し歩いたところで、ホームズはある家のへいの角で立ちどまった。そして、ななめ向かいにある家の門を指さし、声をひそめて言った。

「あの門についている鉄のとびらが見えるかね？　門のとびらに、小さな穴がたくさん開いているだろう？　**我々が探していたものは、あれだよ**」

　ゴリストレードが  かんしゃく を起こして言った。

「ホームズ、あんた、おひさまに当たりすぎて頭がゆだっちまったんじゃないのか？　門のとびらの穴と、クリーム色の花びらに、いったい何の関係があるってんだ？」

かんしゃく──すぐ
腹を立てること。

「今の時間は関係がないね。だが、朝の9時ごろになれば、関係がはっきり見えてくるんだよ」

「どういうことだい?」ワトソンはまだわからなかった。

「あの家の門は、西を向いている。想像してみたまえ。朝9時ごろの光が東からあの門に当たる時、地上には何が見えるかな?」

ワトソンとゴリストレードは、ちょっと首をかしげて考えていたが、急に、ふたりとも同じタイミングで声を上げた。

「あっ！ 太陽の光があの門の穴を通して地面に落ちる！」

「フフフ、ついにわかったかね」ホームズはにやりと笑って言った。

「門のとびらの小さい穴を通った光が地面に落ちて、クリーム色の小さなつぶのように見えるだろう。これが、ケイティの見た『クリーム色の小さな花びら』なのさ」

118

「おまえさん、やるな！」

興奮したゴリストレードが、ホームズの胸をこぶしでどんとついた。「本当にすごいやつだ！　こんなことに気がつくなんて！」

「まったく　感服させられるよ。今ここにないものまで見えているんだな。ほんとに“神の目”を持っているようだよ」ワトソンも、感心して相棒をほめたたえた。

「たいしたことじゃないさ」ホームズはちょっと手をふって言った。「しょう細な観察に、ほんの少しの想像を加えれば、すぐに見えてくることだよ」

「じゃあ、これからどうする？」ワトソンが聞いた。

感服——心から感心すること。
観察——物ごとを注意してよく見ること。
想像——実際に経験していないことなどを、心の中に思いえがくこと。

「君はここに残って見張りをしていてくれ。私とゴリストレード警部は、あの家の様子を探ってみる」

　ホームズとゴリストレードのふたりは、ワトソンを残してななめ向かいの家のほうへ足音をしのばせて近づいていった。そして右と左に分かれてぐるりと裏へ回り、姿が見えなくなった。

　しばらくして、ふたりがワトソンのところへもどってきた。

　「へいを乗りこえてしき地の中に入り、窓から家の中の様子をのぞいてみたら、人相の悪い3人の男たちが、客間でポーカーをやっていた。スカーフェイスは、部屋のすみに座って、じゅうをみがいていたよ」

　ホームズが報告した。

　「マックは？　マックはいなかったのかい?」ワトソンが聞いた。

　「いなかった。たぶん、奥の部屋に閉じこめられているんだろう」

足音をしのばせる——音がしないように、そっと歩く。

ポーカー——トランプを使って行う、ポーカーというゲームのこと。

「おれはへいをぐるっと一周して、外から様子を探ってみた」
ゴリストレードが言った。「あの家には裏口がないことがわ

かった。守りやす
く、せめにくい場
所だってことだ」

「スカーフェイス
はそのことを考え
て、あの家をかく
れがに選んだん
だろう」ホームズ

が 分せき した。「でも、悪いことばかりじゃないぞ。
我々が正面げんかんを固めれば、やつらににげ道はなくなる。
まさに ふくろのねずみ だよ」

「だが、無理やりふみこむのはまずい。マックがつかまって
るんだ」ワトソンが心配した。

「わかっている。我々は、スカーフェイスたちの 不意
をつく 方法を考えないと……」ホームズはしばらく考え
こんでいたが、とつぜん何かを思いついた。

分せき——こみ入った物ごとを、それぞれまとまった部分に分けて調べること。
ふくろのねずみ——ねずみが、ふくろに入れられて外に出られないように、追いつ
められて、のがれられなくなった様子。
不意をつく——考えてもみない時に、とつぜん行う。

「今夜は花火大会だったね？　まさに天の助けだ！
花火を利用しよう!」

「どういうことだ?」ゴリストレードが聞いた。

「この近くにも花火の打ち上げ場所があると言っていたね？
そこから花火を少しもらってくることはできるだろうか？　そ
して、8時に花火の打ち上げが始まるのを待って……」

　ホームズは、たった今ひらめいた計画をふたりに

ひらめく——思いつきなどが、とつぜん心にうかぶ。

くわしく説明して聞かせた。

「**グッド・アイディアだ！** マックは奥の部屋に閉じこめられているから、この作戦でけがをすることはなかろう。よし、決まりだ！」

ゴリストレードはホームズの計画に大賛成し、悪党たちをとらえるのが待ちきれないというように、にやりと笑って、両手の指をぽきぽき鳴らした。

10 花火の夜

　日が沈み、空には夜の **とばり** が下りてきた。うす暗くなった通りに、ともり始めた街灯の明かりが美しくうかびあがり、花火大会を待つ人々のおしゃべりが、ときに大きく、ときに小さく、風に乗って伝わってきた。

　この時、どこからともなく現れた4つの黒いかげが、音もなく道を横切り、ある家の門のわきに張りつくように身をかくした。この4つのかげとはほかでもない、われらが名探ていシャーロック・ホームズとその友人ワトソン、そしてスコットランドヤードのゴリストレード警部とフォックソン警部である。

　「もうすぐ8時だ。みんな、準備はいいね？ **花火の音を合図に、作戦⦿開⦿⦿始** だよ」ホームズは声を低くして言った。

　ほかの3人も、顔を見合わせてうなずいた。

とばり──部屋の中にたらして、仕切りにする布。たれぎぬ。「夜のとばりが下りる」は「夜になってすっかり暗くなる」の意味。
作戦──戦争や試合などに勝つための計略。
開始──始まること。始めること。

　時間は1分、また1分と過ぎ、4人は息をひそめて、その時が来るのを待った。

　とつぜん、「ドーーン！」という大きな音が、空から聞こえてきた。ついに花火大会が始まったのだ！

　ホームズはひらりとへいを乗りこえ、内側から門のかぎを開けて、ほかの3人を招き入れた。4人は目と目で合図し、フォックソンは家の正面左側にある開いた窓の下まで、足音をしのばせて小走りに走っていって身をひそめ、同じくホームズは右側の窓のわきに張りついた。ワトソンは門のところに残った。ゴリストレードは家のげんかん横に立った。そし

....

息をひそめる──気づかれないように、息をおさえてじっとしている。

て左右のホームズとフォックソンに目くばせをし、わざとおそ
ろしい表情をつくって、右手で自分の首をさっとかき切るま
ねをした。行動開始の合図だ!

　フォックソンとホームズは、手にしていた花火に火を
つけ、ひょいっとばかりに窓から中に投げこんだ。
　次のしゅん間、家の中で「パン!」「パン!」と大きな
音がひびいたかと思うと、続けて「パパパパパン!」
と花火がばく発し、窓からもくもくと けむり
がふき出てきた。

「ぎゃああああああああああ!」
　中にいた男たちは悲鳴を上げ、大パニックにおちいった。
　この時、空にも再び花火が上がった。

「ドーーン!」「パーーン!」という花火の音、「おぉぉぉぉ!」
「わぁぁぁぁ!」という観客たちの かん声 がおか
いっぱいにひびきわたり、この家のさわぎは、その音でかき
けされた。

　ばたん!と家のげんかんのとびらが開き、3人の男たちが悲
鳴を上げながら、先を争うように転がり出てきた。げんかん
のわきで待ちかまえていたゴリストレードが、手にした木の

けむり──物が燃える時に出る、空気中に細かいつぶとなってうかぶもの。
かん声──さけび声。わっとさわぐ声。

126

棒を野球のバットのようにふって、男たちをひとりずつ打ちのめした。

「ゴン！」「ゴン！」「ゴン！」

ゴリストレードの3連続ヒットにより、男たちは気を失って地面にのびてしまった。

だが、みんながじりじりしながらげんかんを見つめていても、白いけむりがふき出てくるだけで、悪党の親玉スカーフェイスが飛び出してこない。

ホームズたちが次の手を決めかねていると、ようやく、きょ大な人かげが、けむりの中から、ゆらり、と歩み出てきた。

スカーフェイスだ！ やつがついに姿を現したのだ！

ゴリストレードが、手ににぎった棒をしっかりかまえた。

ところが、けむりが晴れてよく見てみると、出てきたのはスカーフェイスひとりではなかった。

....

気を失う──考える力がなくなって死んだようになる。気絶する。失神する。
親玉──仲間の中で中心になる人。
人かげ──人の姿。

127

スカーフェイスは、**たて**にするように
マックを自分の前に立たせていた。そして左手でマックの首をがっちりとしめ、右手ににぎったじゅうをその胸に向けているのだった！

「なぐれるもんならなぐってみやがれ！」スカーフェイスが、ゴリストレードに向かって大声でどなった。

ゴリストレードは、スカーフェイスの声にはひるまなかったが、マックの姿を見て、しかたなく数歩ほど**後ずさった**。

「スカーフェイス！おまえはすでに包囲されている！　武器をすてて**投降**しろ！」

じゅうをかまえたフォックソンが、スカーフェイスに向かってさけんだ。

「ハハハハ、おれはバカじゃない

....

たて──いくさの時、敵陣から飛んでくる矢などを防ぐ道具。
後ずさる──前を向いたまま後ろへ動くこと。
投降──戦争などで、敵にこうさんすること。

128

ぞ」スカーフェイスが冷たく笑った。

「かんごくのばく発で、何人も殺したんだ。今度つかまったら、おれは確実に死けいだ。投降なんてすると思うか?」

「私にかまうな!」

マックがさけんだ。「こいつを絶対ににがしては——んぐぐぐ……」

マックが言い終わらないうちに、スカーフェイスが、マックの首をしめる手にさらに力を入れた。

「こいつはとっとと死にたいようだな。だがおまえたちは、おれの**道連れ**にこいつを死なせたくはないんだろう?」

スカーフェイスが、**気味が悪い**ほど**冷静**な口調で言った。「金を持ってこい。そしておれをにがせば、こいつの命は助けてやる」

「ふざけるな! おれたちはスコットランドヤードの警察だぞ! おまえにやる金なんかない!」ゴリストレードが大声でののしった。

「金を用意しろと言ったはずだろう?」スカーフェイスは、苦

道連れ——いっしょに行動させること。
気味が悪い——なんとなく気持ちが悪い。
冷静——静かで、落ち着いていること。

しくて顔を真っ赤にしているマックに向かって言った。

「金がないなら、おまえをこのまま返すわけにはいかないよなぁ?」言い終わると、じゅうの引き金にかけている指に、ゆっくりと力を入れていった。

「待て!」ホームズがあわてて止めた。「私は警察の人間じゃない。金なら私が用意する」

「そうか? じゃあ、金はどこだ?」スカーフェイスは、ホームズに疑いの目を向けた。

「ここにはない。少し待ってくれ」

「ふざけるな! 時間をかせぎたいだけだろう? もうだまされんぞ」スカーフェイスはそこでひと呼吸おき、マックに向かって冷たく笑いかけた。「フフフ、どうやら、おれの命もここまでのようだ。だが、おまえにひと足先に死んでもらうぞ」

「待ちなさい!」

とつぜん、門のところを守っていたワトソンの後ろから、女の人の声が上がった。

みんながおどろいて声のほうを見ると、ケイティが門を通って、家の前庭につかつかと入ってきた。

....

引き金——ピストルなどから、たまをうち出すときに指をかけて引く金具。
つかつか——えんりょなく進み出る様子。

ケイティは、手にしたぬいぐるみをスカーフェイスにつき出してさけんだ。

「お金が欲しいならここにあるわ！　父を放しなさい！」

「ケイティ……、だ、だめ……だ……！」マックが、首をしめられたまま、しぼり出すような声で言った。

「ハハハハ！　🐸かえるの子はかえる🐸だな。悪名高い大ペテン師の子供は、真面目な顔で大ぼらをふく小むすめかよ」スカーフェイスがあざわらった。

「そんな人形が何になる？　黄金でできているとでもいうのか？」

「ケイティ、危ないから下がっているんだ」とつぜんのケイティの出現に、いっしゅん、あっけにとられたホームズも、すぐに冷静さを取りもどして言った。「ここは我々に任せて！」

かえるの子はかえる──子は親に似るものだというたとえ。
大ぼら──ほら。大げさなうそ。　黄金──金。こがね。　出現──現れ出ること。

131

「あなたたちには感謝しています」ケイティがきっぱりと言った。

「でも、あれは私の父なんです。私が助けなければ……。それに、お金ならあります！」

　ケイティはぬいぐるみの背中のファスナーを下ろし、きらきらかがやく十数つぶの**ダイヤモンド**を中から取り出して見せた。

「えっ!?」

　ホームズたちは、ダイヤモンドに**びっくりぎょうてん**して声を上げた。

「これには、数千ポンドの価値があります。父を放してくれたら、これをあげるわ！」

ダイヤモンド──鉱物中一番かたく、値打ちのある宝石。ダイヤ。金剛石。

びっくりぎょうてん──たいそうおどろくこと。

　ケイティは手のひらにダイヤモンドをのせ、一歩、また一歩と、スカーフェイスに近づいていった。

　この時、**ドォン！**という大きな音とともに、ひときわ大きな花火が夜空に打ち上がった。花火の光は、父親を救おうと命がけの行動に出たケイティの〜**いさましい**〜姿を、くっきりと照らし出した。

　今までありとあらゆる悪事をやりつくし、かんごくの中でも悪党らのボスとなったスカーフェイスだったが、一見、弱々しそうなこのむすめの、あまりに**き　然**とした態度に気が**動転**してしまい、マックの首をしめていた手の力が少しゆるんだ。

いさましい──勇敢である。
き然──意志が強く、落ち着いている様子。
動転──非常におどろきあわてること。

「えいっ！」そのすきを見のがさず、マックはスカーフェイスの下あごめがけて頭つきを食らわせた。「うがっ！」スカーフェイスの手がさらにゆるみ、マックはそこからのがれようと身をよじった。だが、そのしゅん間――。

「パン！」

じゅう声がひびき、マックの胸から血がふき出した。

ところが、マックをじゅうでうったはずのスカーフェイスまでもが、よろよろと2、3歩後ずさった。

なんと、スカーフェイスがマックの胸に向けてうったじゅうだんは、マックの体を通りぬけ、マックの後ろにいたスカーフェイス自身の体にも当たってしまったのだ。スカーフェイスは、自分で自分をうってしまった！

どさり、と音を立てて、マックの体が地面にくずれ落ちた。スカーフェイスはふらふらになりながらもなんとかふみとどまると、じゅうを持った手をケイティに向けた――！

....

じゅうだん――小銃やピストルなどのたま。

間いっぱつ、ホームズがスカーフェイスとケイティの間に割りこんだ。

ホームズは片手でスカーフェイスの服の前側を、もう一方の手で胸元をつかむと、「はっ！」という気合いとともに、スカーフェイスをぐるりと投げ飛ばした！

間いっぱつ──間にかみの毛1本が入れられるくらいの、ごく少しのすき間しかないということから、非常にさしせまった様子をいう。

スカーフェイスのきょ大な体は、空中で大きく一回転して、かたい地面に打ち付けられた。

　フォックソンがすかさずかけ寄り、スカーフェイスの頭にじゅうを向けた。スカーフェイスは、ていこうしようとしたが、ひたいにじゅう口を押し付けられては、もうおとなしくするしかなかった。

　ケイティは、目の前の光景にしばらくぼうぜんとしていたが、ふと我に返ると、「パパ！」と大きな声でさけんでマックのもとにかけ寄り、かれを胸に抱きかかえた。

　「ぼくに見せて！」ワトソンも急いでかけ寄り、マックのけがの様子を確認し、

······························

ていこう——手むかうこと。さからうこと。

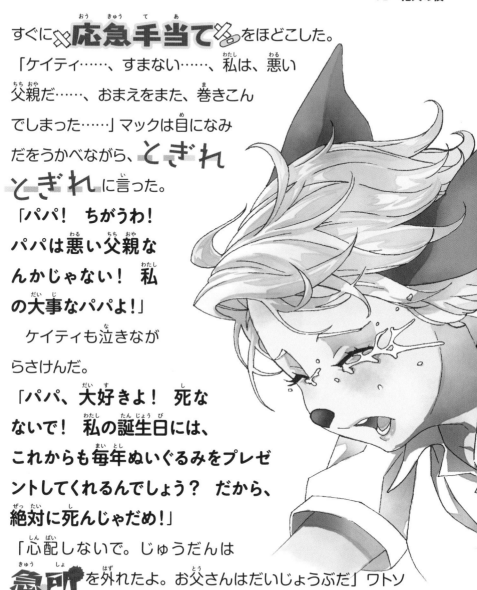

すぐに応急手当てをほどこした。

「ケイティ……、すまない……、私は、悪い父親だ……、おまえをまた、巻きこんでしまった……」マックは目になみだをうかべながら、とぎれとぎれに言った。

「パパ！ ちがうわ！ パパは悪い父親なんかじゃない！ 私の大事なパパよ！」

ケイティも泣きながらさけんだ。

「パパ、大好きよ！ 死なないで！ 私の誕生日には、これからも毎年ぬいぐるみをプレゼントしてくれるんでしょう？ だから、絶対に死んじゃだめ！」

「心配しないで。じゅうだんは急所を外れたよ。お父さんはだいじょうぶだ」ワトソ

応急手当て——急病人やけが人に、ひとまずその場でできる治療をすること。
とぎれとぎれ——ぽつぽつ切れながら続く様子。
急所——体の中で命に関わる、特に大切なところ。

137

ンが、ケイティを安心させるように、そうはっきりと言った。

「本当？　パパ、良かった！」ケイティはうれしくてまた泣き出した。

　この時、「パァン！　パァン！　パァン！」と立て続けに、夜空で大きな花火の花が開いた。色とりどりの美しい花火に、観客からも大きなかん声が上がった。それはまるで、マック親子の再会を祝福しているかのようだった。

　ホームズ、ワトソン、ゴリストレードとフォックソンも、夜空を見上げて花火をながめた。みんなの顔は、花火のように明るい笑顔になっていた。

　マックは病院で手当てを受けた後、ぬいぐるみにかくしたダイヤモンドのことを、みんなに説明した。マックはこの命をかけた取引にのぞむにあたり、すべての財産をダイヤモンドにかえ、ケイティにおくるぬいぐるみの中にかくした。父親として、今までのつぐないにするつもりだったのだ。

　しかし、馬車の中で待っている間に、ケイティはぬいぐるみの秘密を発見してしまった。そこでかのじょはこのダイヤモンドを使って、父親の命を救おうと思いついたのだ。

祝福──人の幸せをいのり、また、喜ぶこと。
財産──値打ちのある持ち物。お金や物や土地など。

スカーフェイス一味を警察に**引きわたし**、ホームズとワトソンがベイカー街221Bの建物の前まで帰り着いた時には、もうすっかり朝になっていた。

　「ぬいぐるみの中にダイヤモンドをかくしておくとは、マックはさすがの大さぎ師だね。またもやだまされたよ」ホームズが苦笑いして言った。

　「ハハハ、まあ、それでよかったんだよ」ワトソンも言った。「今回の**ゆうかい**事件が、とぎれていたマック親子のきずなを結び直したのだから。**災いを転じて福となす**、だね」

　「まさに」ホームズもしみじみと言った。

　「マックとケイティ親子の会話を聞いて、私も感動したよ。ふだんはなんとも思わない花火ですら、なんだか美しく見えてしまったからね」

　「**へ──、な・に・が、美しかったのかしら?**」

　後ろから不意に声がした。「事件の調査に行ったんじゃなかったんだっけ? 花火なんて、いったいいつ見たのかしら?」

　ふたりがふり向くと、バニーとアリスが、不満たっぷりの

引きわたす──手もとの物や人をほかの人の手にうつす。
ゆうかい──人をだまして、つれ去ること。
災いを転じて福となす──不幸なできごとにも負けずに、逆にそれを幸福になるためのきっかけにする。

顔でホームズをにらみつけていた。

「ひ、人の話をぬすみ聞きするとは、なんとマナーが悪い。レディーとは言えないな」

ホームズが不きげんなふりをよそおって言った。

「ごまかさないで!」アリスはだまされなかった。「悪者をつかまえに行くって言ってたじゃない! どこで花火を見たの?」

「いや、ほんとに事件の調査に行ったんだよ。信じないなら、ワトソン君にも聞いてみたまえ」

「ウソつかないで! 事件の調査中に、花火を見る余ゆうなんてあるわけないじゃない!」

「そうですよぅ! ぼくたちをおいて、自分たちだけ花火を見に行ったんでしょう? ずるいですよぅ! ホームズさんのけちんぼ!」バニーもホームズを責めたてた。

「ウソじゃない。我々は本当に悪者をつかまえに行って、同時に花火も見たんだよ。……ええい、説明してもきりがない。ここはにげるが勝ちだ!」

そう言うと、ホームズはひらりと身をひるがえして、もと来た道を走りだした。

マナー——動作や態度。行儀作法。
余ゆう——ゆったりして、こせこせしないこと。
にげるが勝ち——むりに勝負をせず、相手からにげたほうが結局は得になるということ。
ひるがえす——体をすばやくおどらせる。

「ちょっと待って！　お家賃はらいなさいよ！」アリスがあわてて追いかけた。「花火に連れていってくれなかったんだから、お家賃は待たないわよ！」

「そうですよぅ！　家賃はらえ！　家賃はらえ！」

　ホームズが困っているのがおもしろくて、バニーもアリスといっしょにはやしたてながらホームズを追いかけた。

「ハハハ、さすがのホームズにも、こわいものがあったなんてね」

　ワトソンは**あたふた**とにげていくホームズの後ろ姿を見て、思わず笑い出した。

おわり

....

あたふた──あわて急いでいる様子。

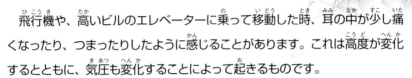

　飛行機や、高いビルのエレベーターに乗って移動した時、耳の中が少し痛くなったり、つまったりしたように感じることがあります。これは高度が変化するとともに、気圧も変化することによって起きるものです。

　気圧とは、大気の圧力、つまり、空気の重さが生む圧力のことです。気圧は、地球上のどこにでも存在しますが、高い場所へ行けば行くほど、空気はどんどんうすくなり、気圧も下がっていきます。

　もしポテトチップスのふくろを持って高い山に登ったら、ふくろはどんどんふくらんでパンパンになります。ポテトチップスのふくろの中の気圧はずっと変わりませんが、空気がうすくなって外側からの圧力が減るため、ふくろの中の空気がふくらんで外側に向かって広がっていき、ふくろを内側から押してパンパンにするのです。

　耳でも同じことが起きます。耳の穴から続く細いトンネル（「外耳道」といいます）の奥は、音をキャッチするための「こまく」といううすいまくでふさがれています。こまくの内側を「中耳」といいますが、中耳の中には、音を伝える骨や器官、そして空気があります。

　高いところに登って、外の気圧が下がると、中耳の中の空気がふくらんで内側から外側に向けてこまくを押します。逆に、高いところから低いところに移動すると、外の空気がこまくを外側から内側に向けて押します。どちらの場合も、同じように痛みやつまりを感じることがあります。

　ホームズはこの点に注目して、ケイティがおかの上に連れていかれたことを知り、スカーフェイスのかくれ家を探し出すことができたのです。

ホームズの ミニ 科学実験

不思議な コーンスターチ

小麦粉がばく発を引き起こすなんて、おそろしいね。

小麦粉のほかに、粉砂糖やコーンスターチなどでもばく発が起きることがあるよ。でも、それを実験するのは危なすぎる。代わりに、コーンスターチを使っておもしろいミニ実験をしよう。

1 写真の中のものを用意する。

コーンスターチ　　空のグラス　　1杯の水

スプーン

2 適量のコーンスターチと水をグラスの中に入れてかき混ぜ、かたまりになるようにする。

ヨ 指をすばやくかたまりに入れようとすると、かたくてなかなか入らない。でも、指をゆっくり入れると入っていく。そして入れた指をぬこうとすると、コーンスターチのかたまりは指にまとわりつく。

すばやく入れる　ゆっくり入れる

4 コーンスターチのかたまりを手のひらにのせて強くにぎると、ひとつにかたくかたまる。手のひらを開いてコーンスターチのかたまりを少しくずしてみると、どろどろになって流れ出す。

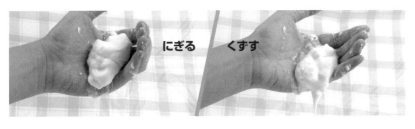

にぎる　くずす

科学的解説

コーンスターチのかたまりをにぎると、どうして「しっかりかたくなった」ように感じるのかな？ じつは、かたまりに急に圧力を加えると、中の水分がすばやく平均的にコーンスターチのりゅう子の間に入りこみ、表面の水分が少なくなって「しっかりかたくなった」ように感じるんだ。逆に、手のひらを開いて、圧力が消えると、コーンスターチのりゅう子の間の水分が流れ出し、かたまりはどろどろの状態に変わる。ちょうど、海岸の砂浜の上を歩いていて、砂が海水でぬれている部分は、砂がかわいている部分より「しっかりかたい」ように感じるのと同じだね。

監修／藤丸卓哉（元大磯教育研究会CEO）

おまけまんが

かんごく生活①

かんごく生活②

かんごく生活③

部屋の中の
トイレが
におうぞ！

うるさい！
がまんしろ

がまん
できん！

くさいんだ！

だから、うんこを
がまんすれば
いい

かんごく生活④

あーあ、
しゃく放まで
あと5年もあるよ

おれなんか
10年だぜ

おれはあと
2日だ

おめで
とう！

うるせえ！あと
2日でこの世から
おさらば
なんだ！

147

作 **ライ・ホー** 法政大学日本文学科、ニューヨーク大学映画研究学科卒業。香港の大手映画会社と出版社の勤務を経て、1994年に出版社を創立。編集と経営の仕事をこなしながら、映画脚本（『恋の風景』『金魚のしずく』）や翻訳の仕事にも携わり、現在に至る。

訳 **三浦裕子** 仙台生まれ。出版社にて雑誌編集、国際版権業務に従事した後、2018年より台湾・香港の本を日本に紹介するユニット「太台本屋 tai-tai books」に参加。版権コーディネートのほか、本まわり、映画まわりの翻訳、記事執筆等を行う。訳書に林育徳『リングサイド』（小学館）など。

キャラクター原案 **コナン・ドイル**（1859〜1930）
1859年イギリス生まれ。小説家、医者。1887年に名探偵シャーロック・ホームズを主人公とした作品『緋色の研究』を発表。合計60ものホームズ作品を書いた。現代に続く推理小説の基本を作った人物。

シャーロック・ホームズ 2

続 シャーロック・ホームズの大追跡

2022年10月24日 初版第1刷発行

作 **ライ・ホー**（厲河）
イラスト **ユー・ユエンウォン**（余遠鍠）
訳 **三浦裕子**
キャラクター原案 **コナン・ドイル**

発行人 飯田昌宏
発行所 株式会社 小学館
　　　　〒101-8001 東京都千代田区一ツ橋2-3-1
電話　編集　03-3230-5170
　　　　販売　03-5281-3555
印刷所 凸版印刷株式会社
製本所 牧製本印刷株式会社

装幀・組版　近田火日輝（fireworks.vc）
校正　小学館出版クオリティセンター
制作　直居裕子、木戸礼
宣伝　野中千織
販売　窪 康男
編集　有光沙織

○造本には十分注意しておりますが、印刷、製本など製造上の不備がございましたら「制作局コールセンター」（フリーダイヤル0120-336-340）にご連絡ください。（電話受付は、土・日・祝休日を除く 9:30〜17:30）
○本書の無断での複写（コピー）、上演、放送等の二次利用、翻案等は、著作権法上の例外を除き禁じられています。
○本書の電子データ化などの無断複製は著作権法上の例外を除き禁じられています。代行業者等の第三者による本書の電子的複製も認められておりません。

Japanese Text ©Yuko Miura 2022　Printed in Japan　ISBN 978-4-09-290659-4